#연산반복학습
#생활속계산
#문장읽고계산식세우기
#학원에서검증된문제집

수학리더
연산

Chunjae
Makes
Chunjae

▼

기획총괄	박금옥
편집개발	지유경, 정소현, 조선영, 최윤석
디자인총괄	김희정
표지디자인	윤순미, 박민정
내지디자인	박희춘
제작	황성진, 조규영

발행일	2021년 10월 15일 개정초판 2024년 8월 15일 4쇄
발행인	(주)천재교육
주소	서울시 금천구 가산로9길 54
신고번호	제2001-000018호
고객센터	1577-0902
교재 구입 문의	1522-5566

수학 리더 연산 6-A

차례

이 책의 구성과 특징

이번에 배울 내용을 알아볼까요?

공부할 내용을 만화로 재미있게 확인할 수 있습니다.

기초 계산 연습

계산 원리와 방법을 한눈에
익힐 수 있고 계산 반복 훈련으로
확실하게 익힐 수 있습니다.

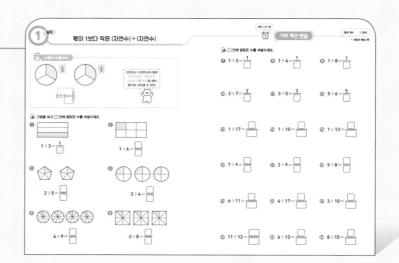

플러스 계산 연습

다양한 형태의 계산 문제를 반복하여
완벽하게 익힐 수 있습니다.

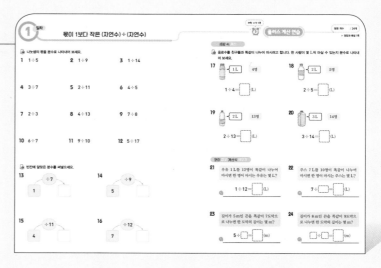

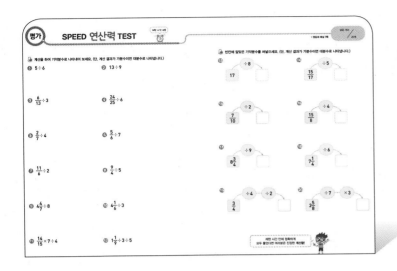

평가 SPEED 연산력 TEST

배운 내용을 테스트로 마무리 할 수 있습니다.

특강 문장제 문제 도전하기

단순 연산 문제와 함께 문장제 문제도 연습할 수 있습니다.

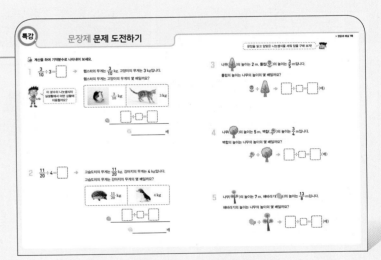

특강 창의·융합·코딩·도전하기

요즘 수학 문제인 창의·융합·코딩 문제를 수록하였습니다.

① 분수의 나눗셈

 실생활에서 알아보는 재미있는 수학 이야기

이번에 배울 내용을 알아볼까요?

몫이 1보다 작은 (자연수)÷(자연수)

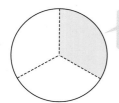 이렇게 해결하자

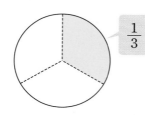

$\dfrac{1}{3}$

(자연수)÷(자연수)의 몫은
나누어지는 수를 분자,
나누는 수를 분모로 하는
분수로 나타낼 수 있어.

$$2 \div 3 = \dfrac{2}{3}$$

분수의 나눗셈

그림을 보고 ☐ 안에 알맞은 수를 써넣으세요.

1

$$1 \div 3 = \dfrac{1}{\boxed{}}$$

2

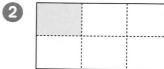

$$1 \div 6 = \dfrac{\boxed{}}{\boxed{}}$$

6

3

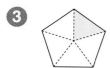

$$2 \div 5 = \dfrac{\boxed{}}{\boxed{}}$$

4

$$3 \div 4 = \dfrac{\boxed{}}{\boxed{}}$$

5

$$4 \div 9 = \dfrac{\boxed{}}{\boxed{}}$$

6

$$3 \div 8 = \dfrac{\boxed{}}{\boxed{}}$$

기초 계산 연습

🐻 ☐ 안에 알맞은 수를 써넣으세요.

⑦ $1 \div 2 = \dfrac{1}{\square}$

⑧ $1 \div 4 = \dfrac{1}{\square}$

⑨ $1 \div 8 = \dfrac{1}{\square}$

⑩ $2 \div 7 = \dfrac{2}{\square}$

⑪ $3 \div 5 = \dfrac{3}{\square}$

⑫ $5 \div 6 = \dfrac{5}{\square}$

⑬ $1 \div 17 = \dfrac{\square}{\square}$

⑭ $1 \div 10 = \dfrac{\square}{\square}$

⑮ $1 \div 13 = \dfrac{\square}{\square}$

⑯ $7 \div 9 = \dfrac{\square}{\square}$

⑰ $2 \div 9 = \dfrac{\square}{\square}$

⑱ $5 \div 8 = \dfrac{\square}{\square}$

⑲ $6 \div 11 = \dfrac{\square}{\square}$

⑳ $4 \div 17 = \dfrac{\square}{\square}$

㉑ $3 \div 10 = \dfrac{\square}{\square}$

㉒ $11 \div 12 = \dfrac{\square}{\square}$

㉓ $6 \div 13 = \dfrac{\square}{\square}$

㉔ $8 \div 15 = \dfrac{\square}{\square}$

몫이 1보다 작은 (자연수) ÷ (자연수)

 나눗셈의 몫을 분수로 나타내어 보세요.

1 $1 \div 5$ **2** $1 \div 9$ **3** $1 \div 14$

4 $3 \div 7$ **5** $2 \div 11$ **6** $4 \div 5$

7 $2 \div 3$ **8** $4 \div 13$ **9** $7 \div 8$

10 $6 \div 7$ **11** $9 \div 10$ **12** $5 \div 17$

 빈칸에 알맞은 분수를 써넣으세요.

13
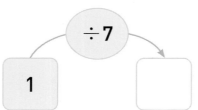

14
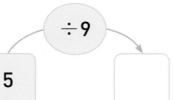

15

16
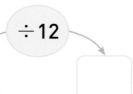

생활 속 계산

음료수를 친구들과 똑같이 나누어 마시려고 합니다. 한 사람이 몇 L씩 마실 수 있는지 분수로 나타내어 보세요.

17 　1 L　　4명

$$1 \div 4 = \boxed{} \ \text{(L)}$$

18 　2 L　　5명

$$2 \div 5 = \boxed{} \ \text{(L)}$$

19 　2 L　　13명

$$2 \div 13 = \boxed{} \ \text{(L)}$$

20 　3 L　　14명

$$3 \div 14 = \boxed{} \ \text{(L)}$$

문장 읽고 계산식 세우기

21 우유 1 L를 12명이 똑같이 나누어 마시면 한 명이 마시는 우유는 몇 L?

$$1 \div 12 = \boxed{} \ \text{(L)}$$

식 _____

22 주스 7 L를 10명이 똑같이 나누어 마시면 한 명이 마시는 주스는 몇 L?

$$7 \div \boxed{} = \boxed{} \ \text{(L)}$$

식 _____

23 길이가 5 m인 끈을 똑같이 7도막으로 나누면 한 도막의 길이는 몇 m?

$$5 \div \boxed{} = \boxed{} \ \text{(m)}$$

식 _____

24 길이가 8 m인 끈을 똑같이 9도막으로 나누면 한 도막의 길이는 몇 m?

$$\boxed{} \div \boxed{} = \boxed{} \ \text{(m)}$$

식 _____

몫이 1보다 큰 (자연수)÷(자연수)

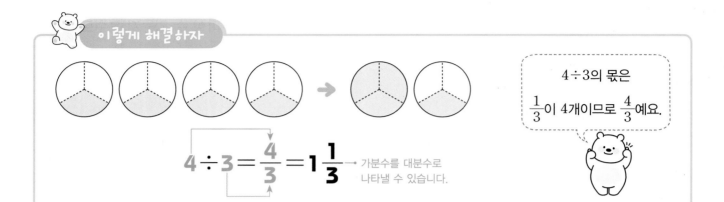

이렇게 해결하자

$$4 \div 3 = \frac{4}{3} = 1\frac{1}{3}$$ → 가분수를 대분수로 나타낼 수 있습니다.

4÷3의 몫은 $\frac{1}{3}$이 4개이므로 $\frac{4}{3}$예요.

그림을 보고 ◯ 안에 알맞은 수를 써넣으세요.

❶

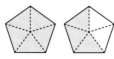

$$3 \div 2 = \frac{\boxed{}}{2} = \boxed{}\frac{\boxed{}}{2}$$

❷

$$5 \div 3 = \frac{\boxed{}}{\boxed{}} = \boxed{}\frac{\boxed{}}{\boxed{}}$$

❸

$$8 \div 5 = \frac{\boxed{}}{\boxed{}} = \boxed{}\frac{\boxed{}}{\boxed{}}$$

❹

$$9 \div 4 = \frac{\boxed{}}{\boxed{}} = \boxed{}\frac{\boxed{}}{\boxed{}}$$

기초 계산 연습

🐻 ☐ 안에 알맞은 수를 써넣으세요.

⑤ $5 \div 2 = \dfrac{\square}{2} = \square \dfrac{\square}{2}$

⑥ $8 \div 3 = \dfrac{\square}{3} = \square \dfrac{\square}{3}$

⑦ $7 \div 6 = \dfrac{7}{\square} = \square \dfrac{\square}{\square}$

⑧ $5 \div 4 = \dfrac{5}{\square} = \square \dfrac{\square}{\square}$

⑨ $6 \div 5 = \dfrac{\square}{\square} = \square \dfrac{\square}{\square}$

⑩ $9 \div 7 = \dfrac{\square}{\square} = \square \dfrac{\square}{\square}$

⑪ $9 \div 2 = \dfrac{\square}{\square} = \square \dfrac{\square}{\square}$

⑫ $11 \div 6 = \dfrac{\square}{\square} = \square \dfrac{\square}{\square}$

⑬ $18 \div 7 = \dfrac{\square}{\square} = \square \dfrac{\square}{\square}$

⑭ $7 \div 5 = \dfrac{\square}{\square} = \square \dfrac{\square}{\square}$

⑮ $11 \div 3 = \dfrac{\square}{\square} = \square \dfrac{\square}{\square}$

⑯ $13 \div 8 = \dfrac{\square}{\square} = \square \dfrac{\square}{\square}$

⑰ $21 \div 4 = \dfrac{\square}{\square} = \square \dfrac{\square}{\square}$

⑱ $25 \div 6 = \dfrac{\square}{\square} = \square \dfrac{\square}{\square}$

몫이 1보다 큰 (자연수)÷(자연수)

 나눗셈의 몫을 분수로 나타내어 보세요. (단, 계산 결과는 대분수로 나타냅니다.)

1 $7 \div 4$　　　　**2** $9 \div 5$　　　　**3** $8 \div 7$

4 $11 \div 5$　　　　**5** $7 \div 2$　　　　**6** $9 \div 8$

7 $13 \div 3$　　　　**8** $17 \div 6$　　　　**9** $11 \div 4$

10 $26 \div 5$　　　　**11** $12 \div 7$　　　　**12** $27 \div 4$

 빈칸에 알맞은 분수를 써넣으세요. (단, 계산 결과는 대분수로 나타냅니다.)

13 $7 \div 3 =$　　　　**14** $13 \div 6 =$

15 $13 \div 4 =$　　　　**16** $26 \div 9 =$

플러스 계산 연습

생활 속 계산

🐻 자동차가 일정한 빠르기로 달릴 때 1분에 간 거리는 몇 km인지 분수로 나타내어 보세요. (단, 계산 결과는 대분수로 나타냅니다.)

17

4 km를 가는 데 3분 걸렸어요.

$4 \div 3 = \boxed{}$ (km)

18

10 km를 가는 데 7분 걸렸어요.

$10 \div 7 = \boxed{}$ (km)

19

14 km를 가는 데 9분 걸렸어요.

$14 \div 9 = \boxed{}$ (km)

20

25 km를 가는 데 12분 걸렸어요.

$25 \div 12 = \boxed{}$ (km)

문장 읽고 계산식 세우기

21 기차가 10 km를 가는 데 3분이 걸릴 때 1분에 가는 거리는 몇 km?

식 $10 \div 3 = \boxed{}$ (km)

22 기차가 21 km를 가는 데 8분이 걸릴 때 1분에 가는 거리는 몇 km?

식 $21 \div \boxed{} = \boxed{}$ (km)

23 콩 15 kg을 2명이 똑같이 나누어 가질 때 한 명이 가지는 콩은 몇 kg?

식 $15 \div \boxed{} = \boxed{}$ (kg)

24 콩 27 kg을 5명이 똑같이 나누어 가질 때 한 명이 가지는 콩은 몇 kg?

식 $\boxed{} \div \boxed{} = \boxed{}$ (kg)

분자가 자연수의 배수인 (진분수)÷(자연수)

$$\frac{4}{9} \div 2 = \frac{4 \div 2}{9} = \frac{2}{9}$$

$$\frac{\blacksquare}{\bullet} \div \blacktriangle = \frac{\blacksquare \div \blacktriangle}{\bullet}$$

분자가 자연수의 배수일 때에는 분자를 자연수로 나누고 분모는 그대로 써요.

 □ 안에 알맞은 수를 써넣으세요.

❶ $\dfrac{6}{7} \div 2 = \dfrac{6 \div \boxed{}}{7} = \dfrac{\boxed{}}{7}$

❷ $\dfrac{9}{10} \div 3 = \dfrac{\boxed{} \div 3}{10} = \dfrac{\boxed{}}{10}$

❸ $\dfrac{8}{15} \div 4 = \dfrac{8 \div \boxed{}}{15} = \dfrac{\boxed{}}{15}$

❹ $\dfrac{3}{8} \div 3 = \dfrac{\boxed{} \div 3}{8} = \dfrac{\boxed{}}{8}$

❺ $\dfrac{8}{11} \div 2 = \dfrac{8 \div \boxed{}}{11} = \dfrac{\boxed{}}{11}$

❻ $\dfrac{7}{12} \div 7 = \dfrac{\boxed{} \div 7}{12} = \dfrac{\boxed{}}{12}$

❼ $\dfrac{20}{21} \div 5 = \dfrac{\boxed{} \div \boxed{}}{21} = \dfrac{\boxed{}}{21}$

❽ $\dfrac{4}{7} \div 2 = \dfrac{\boxed{} \div \boxed{}}{7} = \dfrac{\boxed{}}{7}$

❾ $\dfrac{16}{17} \div 4 = \dfrac{\boxed{} \div \boxed{}}{17} = \dfrac{\boxed{}}{17}$

❿ $\dfrac{24}{25} \div 8 = \dfrac{\boxed{} \div \boxed{}}{25} = \dfrac{\boxed{}}{25}$

기초 계산 연습

🐻 계산을 하여 기약분수로 나타내어 보세요.

⑪ $\dfrac{4}{5} \div 2$

⑫ $\dfrac{9}{13} \div 3$

⑬ $\dfrac{12}{17} \div 6$

⑭ $\dfrac{8}{9} \div 4$

⑮ $\dfrac{6}{11} \div 3$

⑯ $\dfrac{16}{21} \div 8$

⑰ $\dfrac{12}{13} \div 4$

⑱ $\dfrac{5}{6} \div 5$

⑲ $\dfrac{21}{23} \div 7$

⑳ $\dfrac{10}{11} \div 2$

㉑ $\dfrac{14}{15} \div 7$

㉒ $\dfrac{15}{16} \div 3$

㉓ $\dfrac{27}{29} \div 9$

㉔ $\dfrac{18}{19} \div 6$

분자가 자연수의 배수인 (진분수)÷(자연수)

🐻 그림을 보고 ☐ 안에 알맞은 수를 써넣으세요.

1

0   1

$$\frac{6}{7} \div 3 = \frac{\square}{\square}$$

2

0   1

$$\frac{8}{9} \div 2 = \frac{\square}{\square}$$

🐻 분수를 자연수로 나눈 몫을 빈칸에 써넣으세요. (단, 계산 결과는 기약분수로 나타냅니다.)

3

$\frac{6}{11}$	2

4

5	$\frac{5}{9}$

5

$\frac{16}{21}$	4

6

$\frac{10}{13}$	2

7

6	$\frac{18}{25}$

8

9	$\frac{36}{37}$

플러스 계산 연습

생활 속 계산

🐻 철사로 만든 정다각형의 한 변의 길이는 몇 m인지 기약분수로 나타내어 보세요.

9

둘레: $\dfrac{18}{25}$ m

$$\dfrac{18}{25} \div 3 = \boxed{} \ (m)$$

10

둘레: $\dfrac{15}{16}$ m

$$\dfrac{15}{16} \div 5 = \boxed{} \ (m)$$

11

둘레: $\dfrac{12}{25}$ m

$$\dfrac{12}{25} \div \boxed{} = \boxed{} \ (m)$$

12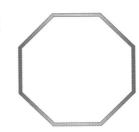

둘레: $\dfrac{32}{45}$ m

$$\dfrac{32}{45} \div \boxed{} = \boxed{} \ (m)$$

문장 읽고 계산식 세우기

13 둘레가 $\dfrac{20}{27}$ m인 정사각형의 한 변의 길이는 몇 m?

식 $\dfrac{20}{27} \div 4 = \boxed{} \ (m)$

14 둘레가 $\dfrac{27}{40}$ m인 정구각형의 한 변의 길이는 몇 m?

식 $\dfrac{27}{40} \div \boxed{} = \boxed{} \ (m)$

15 무게가 같은 공책 5권의 무게가 $\dfrac{5}{8}$ kg일 때 공책 한 권은 몇 kg?

식 $\dfrac{5}{8} \div \boxed{} = \boxed{} \ (kg)$

16 무게가 같은 지우개 7개의 무게가 $\dfrac{21}{50}$ kg일 때 지우개 한 개는 몇 kg?

식 $\dfrac{21}{50} \div \boxed{} = \boxed{} \ (kg)$

분자가 자연수의 배수가 아닌 (진분수)÷(자연수)

 이렇게 해결하자

$$\frac{3}{4} \div 2 = \frac{6}{8} \div 2 = \frac{6 \div 2}{8} = \frac{3}{8}$$

분자 3은 2로 나누어떨어지지 않으므로 분자가 2로 나누어떨어지는 크기가 같은 분수로 바꿉니다.

분자가 자연수의 배수가 아닐 때에는 크기가 같은 분수 중에 분자가 자연수의 배수인 수로 바꾸어 계산해요.

□ 안에 알맞은 수를 써넣으세요.

❶ $\frac{3}{5} \div 4 = \frac{\boxed{}}{20} \div 4$

$= \frac{\boxed{} \div 4}{20} = \frac{\boxed{}}{20}$

❷ $\frac{1}{6} \div 3 = \frac{\boxed{}}{18} \div 3$

$= \frac{\boxed{} \div 3}{18} = \frac{\boxed{}}{18}$

❸ $\frac{2}{7} \div 3 = \frac{\boxed{}}{21} \div 3$

$= \frac{\boxed{} \div 3}{21} = \frac{\boxed{}}{21}$

❹ $\frac{5}{8} \div 2 = \frac{\boxed{}}{16} \div 2$

$= \frac{\boxed{} \div 2}{16} = \frac{\boxed{}}{16}$

❺ $\frac{4}{9} \div 7 = \frac{\boxed{}}{63} \div 7$

$= \frac{\boxed{} \div 7}{63} = \frac{\boxed{}}{63}$

❻ $\frac{3}{4} \div 5 = \frac{\boxed{}}{20} \div 5$

$= \frac{\boxed{} \div 5}{20} = \frac{\boxed{}}{20}$

1

분수의 나눗셈

▶ 정답과 해설 3쪽

🐻 계산을 하여 기약분수로 나타내어 보세요.

⑦ $\dfrac{2}{5} \div 3$

⑧ $\dfrac{1}{3} \div 2$

⑨ $\dfrac{5}{6} \div 3$

⑩ $\dfrac{3}{4} \div 4$

⑪ $\dfrac{3}{7} \div 5$

⑫ $\dfrac{7}{9} \div 2$

⑬ $\dfrac{1}{8} \div 9$

⑭ $\dfrac{4}{5} \div 5$

⑮ $\dfrac{6}{11} \div 5$

⑯ $\dfrac{5}{7} \div 8$

⑰ $\dfrac{7}{8} \div 6$

⑱ $\dfrac{3}{10} \div 4$

⑲ $\dfrac{3}{14} \div 7$

⑳ $\dfrac{9}{16} \div 2$

분수의 나눗셈

분자가 자연수의 배수가 아닌 (진분수)÷(자연수)

 그림을 보고 ⬚ 안에 알맞은 수를 써넣으세요.

1

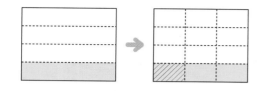

$$\frac{1}{4} \div 3 = \frac{\boxed{}}{\boxed{}}$$

2

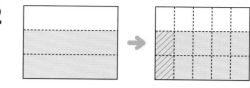

$$\frac{2}{3} \div 5 = \frac{\boxed{}}{\boxed{}}$$

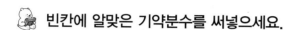 빈칸에 알맞은 기약분수를 써넣으세요.

3 $\dfrac{4}{5}$ ➡ ÷7 ➡ ⬚

4 $\dfrac{3}{8}$ ➡ ÷2 ➡ ⬚

5 $\dfrac{6}{7}$ ➡ ÷5 ➡ ⬚

6 $\dfrac{5}{9}$ ➡ ÷4 ➡ ⬚

7 $\dfrac{7}{10}$ ➡ ÷6 ➡ ⬚

8 $\dfrac{8}{13}$ ➡ ÷3 ➡ ⬚

생활 속 계산

🐻 주어진 리본 끈을 친구들이 똑같이 나누어 가졌을 때, 한 명이 가지는 리본 끈의 길이는 몇 m인지 기약분수로 나타내어 보세요.

9  $\dfrac{1}{5}$ m 　 2명

$$\dfrac{1}{5} \div 2 = \boxed{} \ \text{(m)}$$

10  $\dfrac{5}{6}$ m 　 4명

$$\dfrac{5}{6} \div 4 = \boxed{} \ \text{(m)}$$

11  $\dfrac{3}{8}$ m 　 7명

$$\dfrac{3}{8} \div \boxed{} = \boxed{} \ \text{(m)}$$

12  $\dfrac{7}{10}$ m 　 9명

$$\dfrac{7}{10} \div \boxed{} = \boxed{} \ \text{(m)}$$

문장 읽고 계산식 세우기

13 리본 끈 $\dfrac{4}{9}$ m를 3명이 똑같이 나누어 가지면 한 명은 몇 m씩?

식 $$\dfrac{4}{9} \div 3 = \boxed{} \ \text{(m)}$$

14 리본 끈 $\dfrac{9}{11}$ m를 8명이 똑같이 나누어 가지면 한 명은 몇 m씩?

식 $$\dfrac{9}{11} \div 8 = \boxed{} \ \text{(m)}$$

15 넓이가 $\dfrac{5}{8}$ m² 이고 가로가 6 m인 직사각형의 세로는 몇 m?

식 $$\dfrac{5}{8} \div \boxed{} = \boxed{} \ \text{(m)}$$

16 넓이가 $\dfrac{6}{13}$ m² 이고 가로가 7 m인 직사각형의 세로는 몇 m?

식 $$\dfrac{6}{13} \div \boxed{} = \boxed{} \ \text{(m)}$$

1

분수의 나눗셈

(진분수)÷(자연수)를 분수의 곱셈으로 나타내기

이렇게 해결하자

$$\frac{5}{6} \div 3 = \frac{5}{6} \times \frac{1}{3} = \frac{5}{18}$$

$$\blacksquare \div \blacktriangle = \frac{\blacksquare}{\bullet} \times \frac{1}{\blacktriangle}$$

÷(자연수)를 ×$\dfrac{1}{(자연수)}$로 바꾸어 계산해요.

☐ 안에 알맞은 수를 써넣으세요.

❶ $\dfrac{1}{4} \div 2 = \dfrac{1}{4} \times \dfrac{1}{\square} = \dfrac{\square}{\square}$

❷ $\dfrac{4}{5} \div 3 = \dfrac{4}{5} \times \dfrac{1}{\square} = \dfrac{\square}{\square}$

❸ $\dfrac{3}{4} \div 8 = \dfrac{3}{4} \times \dfrac{1}{\square} = \dfrac{\square}{\square}$

❹ $\dfrac{5}{7} \div 2 = \dfrac{5}{7} \times \dfrac{1}{\square} = \dfrac{\square}{\square}$

❺ $\dfrac{5}{8} \div 3 = \dfrac{5}{8} \times \dfrac{\square}{\square} = \dfrac{\square}{\square}$

❻ $\dfrac{4}{5} \div 9 = \dfrac{4}{5} \times \dfrac{\square}{\square} = \dfrac{\square}{\square}$

❼ $\dfrac{6}{11} \div 7 = \dfrac{6}{11} \times \dfrac{\square}{\square} = \dfrac{\square}{\square}$

❽ $\dfrac{7}{12} \div 5 = \dfrac{7}{12} \times \dfrac{\square}{\square} = \dfrac{\square}{\square}$

1

분수의 나눗셈

22

계산을 하여 기약분수로 나타내어 보세요.

⑨ $\dfrac{5}{7} \div 6$

⑩ $\dfrac{7}{8} \div 2$

⑪ $\dfrac{4}{7} \div 3$

⑫ $\dfrac{2}{3} \div 7$

⑬ $\dfrac{7}{8} \div 4$

⑭ $\dfrac{2}{5} \div 5$

⑮ $\dfrac{5}{6} \div 9$

⑯ $\dfrac{7}{9} \div 3$

⑰ $\dfrac{3}{10} \div 2$

⑱ $\dfrac{6}{13} \div 5$

⑲ $\dfrac{3}{8} \div 4$

⑳ $\dfrac{8}{11} \div 3$

㉑ $\dfrac{9}{10} \div 8$

㉒ $\dfrac{11}{14} \div 6$

(진분수)÷(자연수)를 분수의 곱셈으로 나타내기

 보기 와 같이 계산해 보세요.

보기

$$\frac{9}{10} \div 6 = \frac{\overset{3}{9}}{10} \times \frac{1}{\underset{2}{6}} = \frac{3}{20}$$

 계산 과정에서 약분해요.

1 $\frac{6}{7} \div 4$

2 $\frac{9}{11} \div 3$

3 $\frac{4}{5} \div 8$

4 $\frac{10}{13} \div 12$

빈칸에 알맞은 기약분수를 써넣으세요.

5 $\frac{3}{4}$ ÷2

6 $\frac{5}{9}$ ÷6

7 $\frac{4}{7}$ ÷5

8 $\frac{3}{8}$ ÷9

9 $\frac{2}{3}$ ÷15

10 $\frac{8}{9}$ ÷14

플러스 계산 연습

생활 속 계산

주전자에 들어 있는 물을 같은 양씩 컵에 모두 따랐더니 다음과 같았습니다. 한 컵에 몇 L씩 따른 것인지 기약분수로 나타내어 보세요.

11   　2컵

$$\frac{5}{6} \div 2 = \boxed{} \text{(L)}$$

12   　4컵

$$\frac{7}{10} \div 4 = \boxed{} \text{(L)}$$

13   　7컵

$$\frac{5}{8} \div 7 = \boxed{} \text{(L)}$$

14   　9컵

$$\frac{12}{25} \div 9 = \boxed{} \text{(L)}$$

문장 읽고 계산식 세우기

15 우유 $\frac{8}{9}$ L를 같은 양씩 5컵에 모두 따랐을 때 한 컵에는 몇 L?

식 $\frac{8}{9} \div 5 = \boxed{} \text{(L)}$

16 콜라 $\frac{9}{10}$ L를 같은 양씩 8컵에 모두 따랐을 때 한 컵에는 몇 L?

식 $\frac{9}{10} \div \boxed{} = \boxed{} \text{(L)}$

17 사료 $\frac{2}{3}$ kg을 강아지 3마리에게 똑같이 나누어 줄 때 한 마리당 몇 kg?

식 $\frac{2}{3} \div \boxed{} = \boxed{} \text{(kg)}$

18 사료 $\frac{9}{16}$ kg을 고양이 4마리에게 똑같이 나누어 줄 때 한 마리당 몇 kg?

식 $\frac{9}{16} \div \boxed{} = \boxed{} \text{(kg)}$

(가분수)÷(진분수)를 분수의 곱셈으로 나타내기

이렇게 해결하자

$$\frac{9}{4} \div 6 = \frac{\overset{3}{\cancel{9}}}{4} \times \frac{1}{\underset{2}{\cancel{6}}} = \frac{3}{8}$$

└─ 계산 과정에서 약분하면 편리합니다.

÷(자연수)를 $\times \frac{1}{(자연수)}$ 로 바꾸어 계산해요.

□ 안에 알맞은 수를 써넣으세요.

❶ $\frac{5}{3} \div 4 = \frac{5}{3} \times \frac{1}{\square} = \frac{\square}{\square}$

❷ $\frac{8}{5} \div 3 = \frac{8}{5} \times \frac{1}{\square} = \frac{\square}{\square}$

❸ $\frac{7}{4} \div 2 = \frac{7}{4} \times \frac{1}{\square} = \frac{\square}{\square}$

❹ $\frac{11}{6} \div 8 = \frac{11}{6} \times \frac{1}{\square} = \frac{11}{\square}$

❺ $\frac{9}{7} \div 6 = \frac{\overset{\square}{\cancel{9}}}{7} \times \frac{\square}{\underset{\square}{\cancel{6}}} = \frac{\square}{\square}$

❻ $\frac{8}{7} \div 10 = \frac{\overset{\square}{\cancel{8}}}{7} \times \frac{\square}{\underset{\square}{\cancel{10}}} = \frac{\square}{\square}$

❼ $\frac{10}{7} \div 14 = \frac{\overset{\square}{\cancel{10}}}{7} \times \frac{\square}{\underset{\square}{\cancel{14}}} = \frac{\square}{\square}$

❽ $\frac{15}{8} \div 10 = \frac{\overset{\square}{\cancel{15}}}{8} \times \frac{\square}{\underset{\square}{\cancel{10}}} = \frac{\square}{\square}$

🐻 계산을 하여 기약분수로 나타내어 보세요.

9 $\dfrac{5}{2} \div 3$

10 $\dfrac{7}{3} \div 5$

11 $\dfrac{9}{4} \div 7$

12 $\dfrac{3}{2} \div 2$

13 $\dfrac{10}{3} \div 9$

14 $\dfrac{7}{6} \div 4$

15 $\dfrac{13}{6} \div 3$

16 $\dfrac{6}{5} \div 8$

17 $\dfrac{11}{2} \div 12$

18 $\dfrac{5}{4} \div 7$

19 $\dfrac{14}{9} \div 5$

20 $\dfrac{12}{7} \div 8$

21 $\dfrac{13}{8} \div 6$

22 $\dfrac{9}{4} \div 15$

(가분수)÷(진분수)를 분수의 곱셈으로 나타내기

🐻 보기 와 같이 계산해 보세요.

보기

$$\frac{25}{6} \div 4 = \frac{25}{6} \times \frac{1}{4} = \frac{25}{24} = 1\frac{1}{24}$$

계산 결과가 가분수이면 대분수로 나타내요.

1 $\frac{10}{3} \div 3$

2 $\frac{9}{2} \div 4$

3 $\frac{27}{5} \div 2$

4 $\frac{55}{6} \div 7$

🐻 빈칸에 알맞은 기약분수를 써넣으세요. (단, 계산 결과가 가분수이면 대분수로 나타냅니다.)

5 $\frac{11}{4} \div 5 = $

6 $\frac{7}{2} \div 6 = $

7 $\frac{33}{5} \div 9 = $

8 $\frac{17}{6} \div 2 = $

9 $\frac{10}{3} \div 4 = $

10 $\frac{15}{7} \div 8 = $

플러스 계산 연습

생활 속 계산

🐻 자전거를 타고 구간별로 일정한 빠르기로 달렸습니다. 각 구간에서 1분 동안 달린 거리는 몇 km인지 기약분수로 나타내어 보세요.

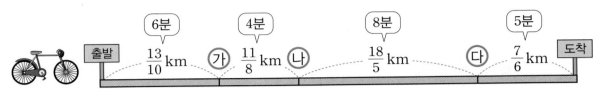

11 출발 ~ 가

$$\frac{13}{10} \div 6 = \boxed{} \text{(km)}$$

12 가 ~ 나

$$\frac{11}{8} \div 4 = \boxed{} \text{(km)}$$

13 나 ~ 다

$$\frac{18}{5} \div \boxed{} = \boxed{} \text{(km)}$$

14 다 ~ 도착

$$\frac{7}{6} \div \boxed{} = \boxed{} \text{(km)}$$

문장 읽고 계산식 세우기

15 오토바이가 일정한 빠르기로 3분 동안 $\frac{11}{4}$ km를 달릴 때 1분에 달린 거리는 몇 km?

식 ___

$$\frac{11}{4} \div 3 = \boxed{} \text{(km)}$$

16 오토바이가 일정한 빠르기로 8분 동안 $\frac{19}{2}$ km를 달릴 때 1분에 달린 거리는 몇 km?

식 ___

$$\frac{19}{2} \div 8 = \boxed{} \text{(km)}$$

17 굵기가 일정한 쇠막대 7 m의 무게가 $\frac{22}{5}$ kg일 때, 쇠막대 1 m는 몇 kg?

식 ___

$$\frac{22}{5} \div \boxed{} = \boxed{} \text{(kg)}$$

18 굵기가 일정한 쇠막대 5 m의 무게가 $\frac{29}{8}$ kg일 때, 쇠막대 1 m는 몇 kg?

식 ___

$$\frac{29}{8} \div \boxed{} = \boxed{} \text{(kg)}$$

분수의 나눗셈

29

분자가 자연수의 배수인 (대분수)÷(자연수)

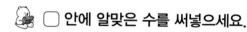

이렇게 해결하자

• $1\frac{3}{5} \div 2$의 계산

방법 1 $1\frac{3}{5} \div 2 = \frac{8}{5} \div 2 = \frac{8 \div 2}{5} = \frac{4}{5}$ ——— 대분수를 가분수로 바꾸고 분자를 2로 나누어 계산합니다.

방법 2 $1\frac{3}{5} \div 2 = \frac{8}{5} \div 2 = \frac{\overset{4}{\cancel{8}}}{5} \times \frac{1}{\underset{1}{\cancel{2}}} = \frac{4}{5}$ ——— 대분수를 가분수로 바꾸고 나눗셈을 곱셈으로 나타내어 계산합니다.

□ 안에 알맞은 수를 써넣으세요.

❶ $1\frac{1}{5} \div 3 = \frac{6}{5} \div 3 = \frac{\boxed{} \div \boxed{}}{5} = \frac{\boxed{}}{5}$

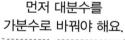

먼저 대분수를 가분수로 바꿔야 해요.

❷ $1\frac{7}{9} \div 8 = \frac{\boxed{}}{9} \div 8 = \frac{\boxed{} \div 8}{9} = \frac{\boxed{}}{9}$

❸ $2\frac{1}{7} \div 3 = \frac{\boxed{}}{7} \div 3 = \frac{\boxed{} \div 3}{7} = \frac{\boxed{}}{7}$

❹ $4\frac{1}{6} \div 5 = \frac{25}{6} \times \frac{1}{\boxed{}} = \frac{\boxed{}}{6}$

❺ $2\frac{2}{5} \div 6 = \frac{\boxed{}}{5} \times \frac{1}{\boxed{}} = \frac{\boxed{}}{5}$

🐻 계산을 하여 기약분수로 나타내어 보세요. (단, 계산 결과가 가분수이면 대분수로 나타냅니다.)

⑥ $1\dfrac{4}{5} \div 3$

⑦ $1\dfrac{1}{9} \div 5$

⑧ $1\dfrac{1}{6} \div 7$

⑨ $2\dfrac{4}{7} \div 9$

⑩ $4\dfrac{2}{3} \div 7$

⑪ $7\dfrac{1}{3} \div 2$

⑫ $3\dfrac{1}{5} \div 4$

⑬ $4\dfrac{2}{7} \div 6$

⑭ $3\dfrac{1}{8} \div 5$

⑮ $1\dfrac{4}{11} \div 5$

⑯ $3\dfrac{5}{9} \div 8$

⑰ $5\dfrac{3}{5} \div 7$

⑱ $2\dfrac{11}{14} \div 13$

⑲ $4\dfrac{8}{9} \div 11$

1

분수의 나눗셈

31

분자가 자연수의 배수인 (대분수)÷(자연수)

🐻 보기 와 같이 계산해 보세요.

> **보기**
>
> $$2\frac{1}{4} \div 3 = \frac{9}{4} \div 3 = \frac{9 \div 3}{4} = \frac{3}{4}$$

대분수를 가분수로 바꾸고 분자를 3으로 나누었어요.

1 $1\frac{2}{3} \div 5$

2 $2\frac{6}{7} \div 4$

🐻 보기 와 같이 계산해 보세요.

> **보기**
>
> $$1\frac{3}{5} \div 4 = \frac{8}{5} \div 4 = \frac{\overset{2}{\cancel{8}}}{5} \times \frac{1}{\underset{1}{\cancel{4}}} = \frac{2}{5}$$

대분수를 가분수로 바꾸고 나눗셈을 곱셈으로 나타내어 계산했어요.

3 $1\frac{3}{7} \div 2$

4 $2\frac{7}{10} \div 9$

🐻 분수를 자연수로 나눈 몫을 빈칸에 써넣으세요. (단, 계산 결과는 기약분수로 나타냅니다.)

5

6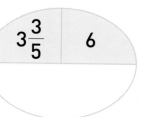

7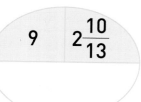

8

생활 속 계산

전자저울의 무게를 보고 과일 한 개의 무게는 몇 kg인지 기약분수로 나타내어 보세요. (단, 각각의 과일의 무게는 모두 같습니다.)

9

$1\dfrac{1}{9}$ kg

$$1\dfrac{1}{9} \div 2 = \dfrac{\square}{\square} \text{ (kg)}$$

10

$2\dfrac{4}{5}$ kg

$$2\dfrac{4}{5} \div 7 = \dfrac{\square}{\square} \text{ (kg)}$$

11

$2\dfrac{1}{7}$ kg

$$2\dfrac{1}{7} \div 5 = \dfrac{\square}{\square} \text{ (kg)}$$

12

$2\dfrac{2}{3}$ kg

$$2\dfrac{2}{3} \div 4 = \dfrac{\square}{\square} \text{ (kg)}$$

문장 읽고 계산식 세우기

13

길이가 $2\dfrac{7}{10}$ m인 리본 끈을 3도막으로 똑같이 나누면 한 도막의 길이는 몇 m?

식 $2\dfrac{7}{10} \div 3 = \boxed{}$ (m)

14

길이가 $6\dfrac{2}{5}$ m인 리본 끈을 8도막으로 똑같이 나누면 한 도막의 길이는 몇 m?

식 $6\dfrac{2}{5} \div 8 = \boxed{}$ (m)

분자가 자연수의 배수가 아닌 (대분수)÷(자연수)

• $1\frac{2}{3} \div 4$ 의 계산

방법 1 $1\frac{2}{3} \div 4 = \frac{5}{3} \div 4 = \frac{20}{12} \div 4 = \frac{20 \div 4}{12} = \frac{5}{12}$ → 대분수를 가분수로 바꾸고 분자를 4의 배수로 바꾸어 계산합니다.

방법 2 $1\frac{2}{3} \div 4 = \frac{5}{3} \div 4 = \frac{5}{3} \times \frac{1}{4} = \frac{5}{12}$ → 대분수를 가분수로 바꾸고 나눗셈을 곱셈으로 나타내어 계산합니다.

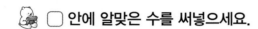 ☐ 안에 알맞은 수를 써넣으세요.

1 $1\frac{1}{6} \div 3 = \frac{\boxed{}}{6} \div 3 = \frac{\boxed{}}{18} \div 3 = \frac{\boxed{} \div 3}{18} = \frac{\boxed{}}{18}$

2 $1\frac{4}{7} \div 2 = \frac{\boxed{}}{7} \div 2 = \frac{\boxed{}}{14} \div 2 = \frac{\boxed{} \div 2}{14} = \frac{\boxed{}}{14}$

3 $2\frac{3}{5} \div 4 = \frac{\boxed{}}{5} \times \frac{1}{\boxed{}} = \frac{\boxed{}}{20}$

4 $1\frac{2}{3} \div 6 = \frac{\boxed{}}{3} \times \frac{1}{\boxed{}} = \frac{\boxed{}}{18}$

5 $2\frac{1}{8} \div 9 = \frac{\boxed{}}{8} \times \frac{1}{\boxed{}} = \frac{\boxed{}}{\boxed{}}$

6 $3\frac{7}{10} \div 7 = \frac{\boxed{}}{10} \times \frac{1}{\boxed{}} = \frac{\boxed{}}{\boxed{}}$

기초 계산 연습

▶ 정답과 해설 6쪽

계산을 하여 기약분수로 나타내어 보세요. (단, 계산 결과가 가분수이면 대분수로 나타냅니다.)

7 $2\frac{1}{7} \div 4$

8 $1\frac{5}{6} \div 2$

9 $3\frac{1}{4} \div 9$

10 $2\frac{3}{8} \div 5$

11 $1\frac{3}{4} \div 3$

12 $5\frac{1}{2} \div 7$

13 $3\frac{5}{6} \div 5$

14 $4\frac{3}{5} \div 8$

15 $2\frac{1}{8} \div 2$

16 $6\frac{3}{7} \div 9$

17 $3\frac{3}{4} \div 8$

18 $5\frac{2}{3} \div 6$

19 $3\frac{8}{9} \div 7$

20 $6\frac{1}{3} \div 4$

분수의 나눗셈

분자가 자연수의 배수가 아닌 (대분수)÷(자연수)

 보기 와 같이 계산해 보세요.

보기

$$3\frac{1}{3} \div 4 = \frac{10}{3} \div 4 = \frac{10}{3} \times \frac{1}{\underset{2}{4}} = \frac{5}{6}$$

대분수를 가분수로 바꾸고
나눗셈을 곱셈으로 나타내어
계산 과정에서 약분해요.

1 $1\dfrac{1}{7} \div 6$

2 $4\dfrac{1}{5} \div 9$

3 $2\dfrac{7}{9} \div 10$

4 $6\dfrac{2}{3} \div 8$

 빈칸에 알맞은 기약분수를 써넣으세요. (단, 계산 결과가 가분수이면 대분수로 나타냅니다.)

5 $1\dfrac{3}{4}$ → $\div 5$ → ☐

6 $2\dfrac{1}{5}$ → $\div 3$ → ☐

7 $4\dfrac{1}{2}$ → $\div 11$ → ☐

8 $5\dfrac{1}{7}$ → $\div 12$ → ☐

9 $3\dfrac{1}{2}$ → $\div 3$ → ☐

10 $9\dfrac{1}{5}$ → $\div 4$ → ☐

1 분수의 나눗셈

플러스 계산 연습

▶ 정답과 해설 6쪽

생활 속 계산

🐻 집에서 학교까지의 거리는 학교에서 은행이나 도서관까지의 거리의 몇 배인지 기약분수로 나타내어 보세요.

11

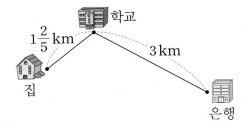

$$1\frac{2}{5} \div 3 = \boxed{} \text{(배)}$$

12

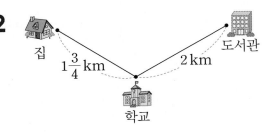

$$1\frac{3}{4} \div 2 = \boxed{} \text{(배)}$$

13

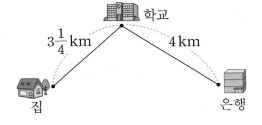

$$3\frac{1}{4} \div 4 = \boxed{} \text{(배)}$$

14

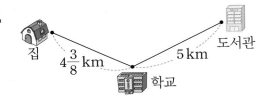

$$4\frac{3}{8} \div 5 = \boxed{} \text{(배)}$$

문장 읽고 계산식 세우기

15

소나무의 높이는 $4\frac{3}{5}$ m이고 전나무의 높이는 6 m일 때, 소나무의 높이는 전나무 높이의 몇 배?

식 $\qquad 4\frac{3}{5} \div 6 = \boxed{} \text{(배)}$

16

단풍나무의 높이는 $8\frac{1}{2}$ m이고 은행나무의 높이는 7 m일 때, 단풍나무의 높이는 은행나무 높이의 몇 배?

식 $\qquad 8\frac{1}{2} \div 7 = \boxed{} \text{(배)}$

세 수의 계산

$$\cdot \frac{7}{9} \times 4 \div 6 = \frac{7}{9} \times \overset{2}{4} \times \frac{1}{\underset{3}{6}} = \frac{14}{27}$$

$$\cdot \frac{9}{10} \div 3 \times 7 = \frac{\overset{3}{9}}{10} \times \frac{1}{\underset{1}{3}} \times 7 = \frac{21}{10} = 2\frac{1}{10}$$

$$\cdot \frac{8}{11} \div 5 \div 2 = \frac{\overset{4}{8}}{11} \times \frac{1}{5} \times \frac{1}{\underset{1}{2}} = \frac{4}{55}$$

세 수의 계산은 앞에서부터
두 수씩 차례로 계산하거나
세 수를 한꺼번에 계산해요.

1
분수의 나눗셈

🐻 □ 안에 알맞은 수를 써넣으세요.

① $\dfrac{1}{5} \times 4 \div 3 = \dfrac{1}{5} \times 4 \times \dfrac{1}{\boxed{}} = \dfrac{\boxed{}}{\boxed{}}$

② $\dfrac{6}{7} \div 5 \times 3 = \dfrac{6}{7} \times \dfrac{1}{\boxed{}} \times 3 = \dfrac{\boxed{}}{\boxed{}}$

③ $\dfrac{5}{8} \div 3 \div 2 = \dfrac{5}{8} \times \dfrac{1}{3} \times \dfrac{1}{\boxed{}} = \dfrac{\boxed{}}{\boxed{}}$

④ $\dfrac{7}{9} \div 4 \div 2 = \dfrac{7}{9} \times \dfrac{1}{\boxed{}} \times \dfrac{1}{2} = \dfrac{\boxed{}}{\boxed{}}$

⑤ $2\dfrac{2}{5} \times 3 \div 4 = \dfrac{\boxed{}}{5} \times 3 \times \dfrac{1}{\boxed{}} = \dfrac{\boxed{}}{5} = \boxed{}\dfrac{\boxed{}}{5}$

⑥ $1\dfrac{7}{9} \div 8 \div 3 = \dfrac{\boxed{}}{9} \times \dfrac{1}{\boxed{}} \times \dfrac{1}{\boxed{}} = \dfrac{2}{\boxed{}}$

기초 계산 연습

🐻 계산을 하여 기약분수로 나타내어 보세요. (단, 계산 결과가 가분수이면 대분수로 나타냅니다.)

7 $\dfrac{2}{5} \times 4 \div 7$

8 $\dfrac{4}{9} \times 5 \div 3$

9 $\dfrac{6}{7} \times 4 \div 9$

10 $\dfrac{3}{8} \div 2 \times 5$

11 $\dfrac{7}{12} \div 14 \times 5$

12 $\dfrac{3}{10} \div 6 \times 9$

13 $\dfrac{9}{11} \div 2 \div 4$

14 $\dfrac{15}{16} \div 5 \div 2$

15 $3\dfrac{1}{2} \times 3 \div 4$

16 $2\dfrac{4}{5} \times 2 \div 21$

17 $1\dfrac{1}{6} \div 9 \times 5$

18 $2\dfrac{3}{7} \div 3 \times 4$

19 $1\dfrac{4}{9} \div 2 \div 6$

20 $3\dfrac{5}{9} \div 8 \div 7$

세 수의 계산

🐻 보기와 같이 계산해 보세요.

보기

$$7\frac{1}{2} \div 3 \div 8 = \frac{\overset{5}{15}}{2} \times \frac{1}{\underset{1}{3}} \div 8 = \frac{5}{2} \times \frac{1}{8} = \frac{5}{16}$$

앞에서부터 두 수씩 차례로 계산해요.

1 $\dfrac{8}{9} \div 2 \div 5$

2 $8\dfrac{1}{6} \div 4 \div 7$

🐻 빈칸에 알맞은 기약분수를 써넣으세요. (단, 계산 결과가 가분수이면 대분수로 나타냅니다.)

3
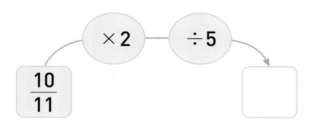

4
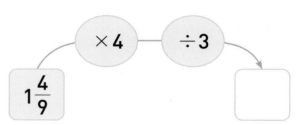

5
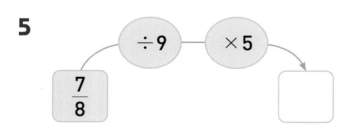

6
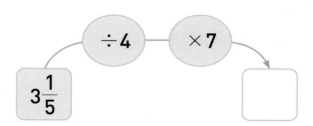

7
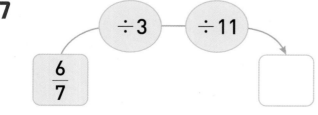

8
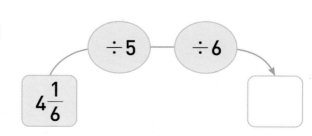

생활 속 계산

🐻 똑같이 나누어 담았을 때 주어진 통에 담긴 양은 몇 L인지 기약분수로 나타내어 보세요. (단, 계산 결과가 가분수이면 대분수로 나타냅니다.)

9

$5\dfrac{1}{3}$ L

 5통 ➡ $5\dfrac{1}{3} \div 8 \times 5 =$ ☐ (L)

10

$2\dfrac{3}{8}$ L

 2통 ➡ $2\dfrac{3}{8} \div 3 \times 2 =$ ☐ (L)

11

$1\dfrac{7}{10}$ L

3통 ➡ $1\dfrac{7}{10} \div 7 \times 3 =$ ☐ (L)

12

$4\dfrac{1}{5}$ L

4통 ➡ $4\dfrac{1}{5} \div 9 \times 4 =$ ☐ (L)

문장 읽고 계산식 세우기

13

밑변의 길이가 $3\dfrac{1}{2}$ cm이고 높이가 5 cm인 삼각형의 넓이는 몇 cm²?

식 $3\dfrac{1}{2} \times 5 \div 2 =$ ☐ (cm²)

14

밑변의 길이가 $6\dfrac{2}{3}$ cm이고 높이가 7 cm인 삼각형의 넓이는 몇 cm²?

식 $6\dfrac{2}{3} \times 7 \div$ ☐ $=$ ☐ (cm²)

계산을 하여 기약분수로 나타내어 보세요. (단, 계산 결과가 가분수이면 대분수로 나타냅니다.)

① $5 \div 6$

② $13 \div 9$

③ $\dfrac{6}{13} \div 3$

④ $\dfrac{24}{25} \div 6$

⑤ $\dfrac{2}{7} \div 4$

⑥ $\dfrac{5}{6} \div 7$

⑦ $\dfrac{11}{6} \div 2$

⑧ $\dfrac{9}{4} \div 5$

⑨ $4\dfrac{4}{7} \div 8$

⑩ $4\dfrac{1}{6} \div 3$

⑪ $\dfrac{14}{15} \times 7 \div 4$

⑫ $1\dfrac{1}{9} \div 3 \div 5$

🐻 빈칸에 알맞은 기약분수를 써넣으세요. (단, 계산 결과가 가분수이면 대분수로 나타냅니다.)

⑬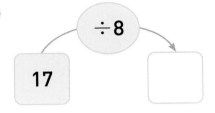

⑭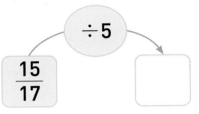

⑮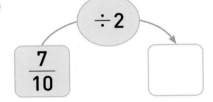

⑯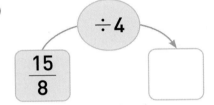

⑰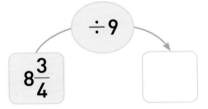

⑱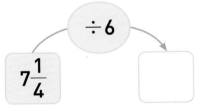

⑲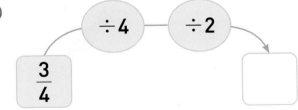

⑳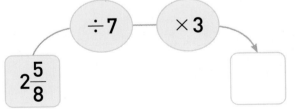

분수의 나눗셈

제한 시간 안에 정확하게
모두 풀었다면 여러분은 진정한 **계산왕!**

문장제 문제 도전하기

 계산을 하여 기약분수로 나타내어 보세요.

1 $\dfrac{3}{10} \div 3 =$ ☐

→ 햄스터의 무게는 $\dfrac{3}{10}$ kg, 고양이의 무게는 **3** kg입니다.

햄스터의 무게는 고양이의 무게의 몇 배일까요?

이 분수의 나눗셈식이 실생활에서 어떤 상황에 이용될까요?

$\dfrac{3}{10}$ kg 3 kg

식 ☐ ÷ ☐ = ☐

답 _____ 배

2 $\dfrac{11}{20} \div 4 =$ ☐

→ 고슴도치의 무게는 $\dfrac{11}{20}$ kg, 강아지의 무게는 **4** kg입니다.

고슴도치의 무게는 강아지의 무게의 몇 배일까요?

 $\dfrac{11}{20}$ kg   4 kg

식 ☐ ÷ ☐ = ☐

답 _____ 배

문장을 읽고 알맞은 나눗셈식을 세워 답을 구해 보자!

3 나무( )의 높이는 **2** m, 튤립( )의 높이는 $\frac{3}{5}$ m입니다.

튤립의 높이는 나무의 높이의 몇 배일까요?

☐ ÷ ☐ = ☐ (배)

4 나무( )의 높이는 **5** m, 백합( )의 높이는 $\frac{3}{4}$ m입니다.

백합의 높이는 나무의 높이의 몇 배일까요?

☐ ÷ ☐ = ☐ (배)

5 나무( )의 높이는 **7** m, 해바라기( )의 높이는 $\frac{13}{8}$ m입니다.

해바라기의 높이는 나무의 높이의 몇 배일까요?

☐ ÷ ☐ = ☐ (배)

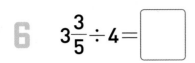
문장제 문제 도전하기

🐻 계산을 하여 기약분수로 나타내어 보세요. (단, 계산 결과가 가분수이면 대분수로 나타냅니다.)

6 $3\dfrac{3}{5} \div 4 =$ ☐ ➡ 흙 $3\dfrac{3}{5}$ kg을 화분 **4**개에 똑같이 나누어 담으려고 합니다.

화분 한 개에 담아야 하는 흙은 몇 kg일까요?

 이 분수의 나눗셈식이 실생활에서 어떤 상황에 이용될까요?

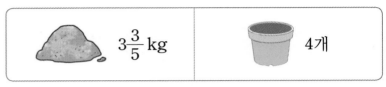 $3\dfrac{3}{5}$ kg | 4개

식 ☐ ÷ ☐ = ☐

답 _____ kg

7 $9\dfrac{1}{10} \div 7 =$ ☐ ➡ 흙 $9\dfrac{1}{10}$ kg을 화분 **7**개에 똑같이 나누어 담으려고 합니다.

화분 한 개에 담아야 하는 흙은 몇 kg일까요?

 $9\dfrac{1}{10}$ kg | 7개

식 ☐ ÷ ☐ = ☐

답 _____ kg

문장을 읽고 알맞은 나눗셈식을 세워 답을 구해 보자!

8 밀가루( ) $\dfrac{7}{20}$ kg을 똑같이 나누어 베이글( ) **5**개를 만들었습니다.

베이글 한 개를 만드는 데 사용한 밀가루는 몇 kg일까요?

$$\boxed{} \div \boxed{} = \boxed{}\ \text{(kg)}$$

9 밀가루( ) $\dfrac{21}{50}$ kg을 똑같이 나누어 머핀( ) **15**개를 만들었습니다.

머핀 한 개를 만드는 데 사용한 밀가루는 몇 kg일까요?

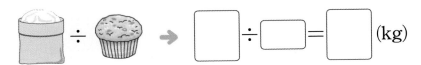

$$\boxed{} \div \boxed{} = \boxed{}\ \text{(kg)}$$

10 밀가루( ) $1\dfrac{1}{3}$ kg을 똑같이 나누어 바게트( ) **8**개를 만들었습니다.

바게트 한 개를 만드는 데 사용한 밀가루는 몇 kg일까요?

$$\boxed{} \div \boxed{} = \boxed{}\ \text{(kg)}$$

창의·융합·코딩·도전하기

비밀번호를 찾아라!

창의 1 방에서 탈출하기 위한 비밀번호를 알아보세요.

$$① \quad \frac{9}{10} \div 3 = \frac{\square}{10}$$

$$② \quad \frac{8}{11} \div 2 = \frac{\square}{11}$$

$$③ \quad \frac{6}{7} \div 12 = \frac{\square}{14}$$

위 ①, ②, ③의 □ 안에 알맞은 수를 찾아 비밀번호를 알아보자.

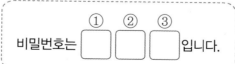

비밀번호는 ① ② ③ 입니다.

크기가 같은 피자 **2**판이 있습니다.
3명이 피자를 종류별로 똑같이 나누어 먹으려고 합니다.
한 명이 먹을 수 있는 피자의 양을 구하는 식을 써 보세요.

 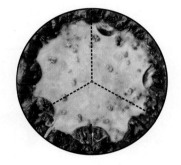

 _____

 '연비'란 연료 **1** L로 갈 수 있는 거리를 뜻합니다.
연료의 양에 따라 갈 수 있는 거리를 보고 연비가 더 높은 자동차에 ○표 하세요.

 연비는 (갈 수 있는 거리)÷(연료의 양)으로 구해요.

갈 수 있는 거리: $\dfrac{250}{3}$ km

연료의 양: 5 L

갈 수 있는 거리: $57\dfrac{1}{2}$ km

연료의 양: 4 L

(   )

(   )

소수의 나눗셈 (1)

 실생활에서 알아보는 재미있는 수학 이야기

응? 저건 뭐지?

이런 산길에 선물상자가 있다니?!

윽! 냄새~.

위험해!

꿈틀

으악! 몬스터다!

이번에는 반드시 잡을 테다!

우리도 지지 않아!

지금 뭐하시는 거죠?

이번에 배울 내용을 알아볼까요?

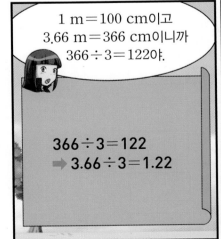

자연수의 나눗셈을 이용한 (소수)÷(자연수)

  이렇게 해결하자

$$484 \div 4 = 121$$

$\frac{1}{10}$배

$\frac{1}{100}$배

$$48.4 \div 4 = 12.1$$

$\frac{1}{10}$배

$\frac{1}{100}$배

$$4.84 \div 4 = 1.21$$

나누어지는 수가 $\frac{1}{10}$배, $\frac{1}{100}$배가 되면 몫도 $\frac{1}{10}$배, $\frac{1}{100}$배가 되므로 소수점은 왼쪽으로 한 칸, 두 칸 이동해요.

□ 안에 알맞은 수를 써넣으세요.

❶
$246 \div 2 = \quad 123$
$24.6 \div 2 = \boxed{}$
$2.46 \div 2 = \boxed{}$

❷
$693 \div 3 = \quad 231$
$69.3 \div 3 = \boxed{}$
$6.93 \div 3 = \boxed{}$

❸
$884 \div 4 = \quad 221$
$88.4 \div 4 = \boxed{}$
$8.84 \div 4 = \boxed{}$

❹
$468 \div 2 = \quad 234$
$46.8 \div 2 = \boxed{}$
$4.68 \div 2 = \boxed{}$

❺
$399 \div 3 = \boxed{}$
$39.9 \div 3 = \boxed{}$
$3.99 \div 3 = \boxed{}$

❻
$848 \div 4 = \boxed{}$
$84.8 \div 4 = \boxed{}$
$8.48 \div 4 = \boxed{}$

❼
$864 \div 2 = \boxed{}$
$86.4 \div 2 = \boxed{}$
$8.64 \div 2 = \boxed{}$

❽
$939 \div 3 = \boxed{}$
$93.9 \div 3 = \boxed{}$
$9.39 \div 3 = \boxed{}$

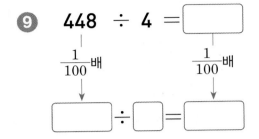 ☐ 안에 알맞은 수를 써넣으세요.

9 448 ÷ 4 = ☐

$\frac{1}{100}$배 → $\frac{1}{100}$배 →

☐ ÷ ☐ = ☐

10 363 ÷ 3 = ☐

$\frac{1}{100}$배 → $\frac{1}{100}$배 →

☐ ÷ ☐ = ☐

11 933 ÷ 3 = ☐

$\frac{1}{100}$배 → $\frac{1}{100}$배 →

☐ ÷ ☐ = ☐

12 282 ÷ 2 = ☐

$\frac{1}{100}$배 → $\frac{1}{100}$배 →

☐ ÷ ☐ = ☐

13 682 ÷ 2 = ☐

$\frac{1}{100}$배 → $\frac{1}{100}$배 →

☐ ÷ ☐ = ☐

14 844 ÷ 4 = ☐

$\frac{1}{100}$배 → $\frac{1}{100}$배 →

☐ ÷ ☐ = ☐

15 448 ÷ 2 = ☐

$\frac{1}{100}$배 → $\frac{1}{100}$배 →

☐ ÷ ☐ = ☐

16 696 ÷ 3 = ☐

$\frac{1}{100}$배 → $\frac{1}{100}$배 →

☐ ÷ ☐ = ☐

17 369 ÷ 3 = ☐

$\frac{1}{100}$배 → $\frac{1}{100}$배 →

☐ ÷ ☐ = ☐

18 466 ÷ 2 = ☐

$\frac{1}{100}$배 → $\frac{1}{100}$배 →

☐ ÷ ☐ = ☐

2

소수의 나눗셈 (1)

53

자연수의 나눗셈을 이용한 (소수)÷(자연수)

🐻 □ 안에 알맞은 수를 써넣으세요.

1

$$848 \div 2 = \boxed{}$$

$\frac{1}{10}$배 $\frac{1}{10}$배

$\frac{1}{100}$배

$$84.8 \div 2 = \boxed{}$$

$\frac{1}{100}$배

$$8.48 \div 2 = \boxed{}$$

2

$$624 \div 2 = \boxed{}$$

$\frac{1}{10}$배 $\frac{1}{10}$배

$\frac{1}{100}$배

$$62.4 \div 2 = \boxed{}$$

$\frac{1}{100}$배

$$6.24 \div 2 = \boxed{}$$

3

$$393 \div 3 = \boxed{}$$

$\frac{1}{10}$배 $\frac{1}{10}$배

$\frac{1}{100}$배

$$39.3 \div 3 = \boxed{}$$

$\frac{1}{100}$배

$$3.93 \div 3 = \boxed{}$$

4

$$262 \div 2 = \boxed{}$$

$\frac{1}{10}$배 $\frac{1}{10}$배

$\frac{1}{100}$배

$$26.2 \div 2 = \boxed{}$$

$\frac{1}{100}$배

$$2.62 \div 2 = \boxed{}$$

5

$$488 \div 4 = \boxed{}$$

$\frac{1}{10}$배 $\frac{1}{10}$배

$\frac{1}{100}$배

$$48.8 \div 4 = \boxed{}$$

$\frac{1}{100}$배

$$4.88 \div 4 = \boxed{}$$

6

$$669 \div 3 = \boxed{}$$

$\frac{1}{10}$배 $\frac{1}{10}$배

$\frac{1}{100}$배

$$66.9 \div 3 = \boxed{}$$

$\frac{1}{100}$배

$$6.69 \div 3 = \boxed{}$$

7

$$868 \div 2 = \boxed{}$$

$\frac{1}{10}$배 $\frac{1}{10}$배

$\frac{1}{100}$배

$$86.8 \div 2 = \boxed{}$$

$\frac{1}{100}$배

$$8.68 \div 2 = \boxed{}$$

8

$$996 \div 3 = \boxed{}$$

$\frac{1}{10}$배 $\frac{1}{10}$배

$\frac{1}{100}$배

$$99.6 \div 3 = \boxed{}$$

$\frac{1}{100}$배

$$9.96 \div 3 = \boxed{}$$

플러스 계산 연습

생활 속 계산

🐻 무게가 똑같은 쿠키 한 개의 무게를 구하세요.

9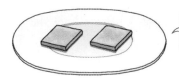

쿠키 2개의 무게
➡ 62.84 g

$62.84 \div 2 = \boxed{}$ (g)

10

쿠키 4개의 무게
➡ 84.48 g

$\boxed{} \div 4 = \boxed{}$ (g)

11

쿠키 3개의 무게
➡ 96.39 g

$\boxed{} \div 3 = \boxed{}$ (g)

문장 읽고 계산식 세우기

12 리본 9.36 m를 3명이 똑같이 나누어 가지면 한 명이 가지는 리본은 몇 m?

식 $9.36 \div 3 = \boxed{}$ (m)

13 털실 8.62 m를 2명이 똑같이 나누어 가지면 한 명이 가지는 털실은 몇 m?

식 $8.62 \div \boxed{} = \boxed{}$ (m)

14 쌀 40.62 kg을 상자 2개에 똑같이 나누어 담으면 상자 한 개에 담는 쌀은 몇 kg?

식 $40.62 \div \boxed{} = \boxed{}$ (kg)

15 콩 48.88 kg을 상자 4개에 똑같이 나누어 담으면 상자 한 개에 담는 콩은 몇 kg?

식 $48.88 \div \boxed{} = \boxed{}$ (kg)

2

소수의 나눗셈 (1)

몫이 소수 한 자리 수인 (소수)÷(자연수) ①

 이렇게 해결하자

• 분수의 나눗셈으로 바꾸어 계산하기

$$9.6 \div 3 = \frac{96}{10} \div 3 = \frac{96 \div 3}{10}$$
$$= \frac{32}{10} = 3.2$$

• 자연수의 나눗셈을 이용하여 계산하기

$$96 \div 3 = 32$$

$\frac{1}{10}$배 ↓ $\frac{1}{10}$배 ↓

$$9.6 \div 3 = 3.2$$

자연수의 나눗셈을 이용하여 소수의 나눗셈을 계산해 보세요.

① $28 \div 2 = \boxed{}$

→ $2.8 \div 2 = \boxed{}$

② $63 \div 3 = \boxed{}$

→ $6.3 \div 3 = \boxed{}$

③ $168 \div 4 = \boxed{}$

→ $16.8 \div 4 = \boxed{}$

④ $106 \div 2 = \boxed{}$

→ $10.6 \div 2 = \boxed{}$

⑤ $483 \div 7 = \boxed{}$

→ $48.3 \div 7 = \boxed{}$

⑥ $522 \div 6 = \boxed{}$

→ $52.2 \div 6 = \boxed{}$

⑦ $475 \div 5 = \boxed{}$

→ $47.5 \div 5 = \boxed{}$

⑧ $324 \div 9 = \boxed{}$

→ $32.4 \div 9 = \boxed{}$

⑨ $255 \div 3 = \boxed{}$

→ $25.5 \div 3 = \boxed{}$

⑩ $392 \div 8 = \boxed{}$

→ $39.2 \div 8 = \boxed{}$

계산해 보세요.

⑪ $3.6 \div 3 = \dfrac{\boxed{}}{10} \div 3 = \dfrac{\boxed{} \div 3}{10} = \dfrac{\boxed{}}{10} = \boxed{}$

⑫ $2.6 \div 2 = \dfrac{\boxed{}}{10} \div 2 = \dfrac{\boxed{} \div 2}{10} = \dfrac{\boxed{}}{10} = \boxed{}$

⑬ $45.6 \div 6 = \dfrac{\boxed{}}{10} \div 6 = \dfrac{\boxed{} \div 6}{10} = \dfrac{\boxed{}}{10} = \boxed{}$

⑭ $28.7 \div 7 = \dfrac{\boxed{}}{10} \div 7 = \dfrac{\boxed{} \div 7}{10} = \dfrac{\boxed{}}{10} = \boxed{}$

⑮ $4.8 \div 4$

⑯ $3.9 \div 3$

⑰ $16.4 \div 2$

⑱ $48.8 \div 8$

⑲ $36.9 \div 9$

⑳ $42.6 \div 6$

㉑ $37.2 \div 4$

㉒ $41.5 \div 5$

소수 한 자리 수인 (소수)÷(자연수) ①

보기 와 같이 계산해 보세요.

보기

$$6.8 \div 2 = \frac{68}{10} \div 2 = \frac{68 \div 2}{10} = \frac{34}{10} = 3.4$$

1 49.7÷7

2 12.8÷4

3 41.4÷9

4 18.6÷2

5 29.5÷5

6 65.6÷8

빈칸에 알맞은 소수를 써넣으세요.

7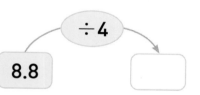

8.8 ÷4

8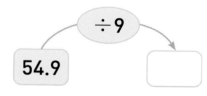

54.9 ÷9

9

17.8 ÷2

10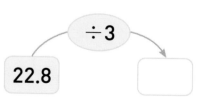

22.8 ÷3

11

65.8 ÷7

12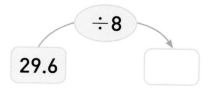

29.6 ÷8

생활 속 계산

🐻 색 테이프를 똑같이 나누었습니다. 색칠한 부분의 길이를 구하세요.

13
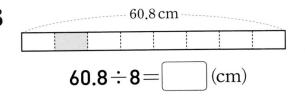
60.8 cm

$60.8 \div 8 = \boxed{}$ (cm)

14
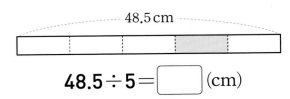
48.5 cm

$48.5 \div 5 = \boxed{}$ (cm)

15
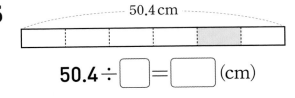
50.4 cm

$50.4 \div \boxed{} = \boxed{}$ (cm)

16
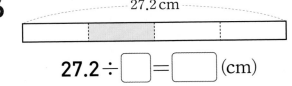
27.2 cm

$27.2 \div \boxed{} = \boxed{}$ (cm)

17
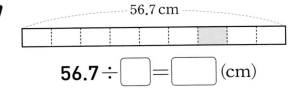
56.7 cm

$56.7 \div \boxed{} = \boxed{}$ (cm)

18
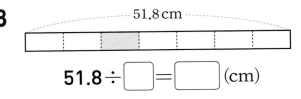
51.8 cm

$51.8 \div \boxed{} = \boxed{}$ (cm)

문장 읽고 계산식 세우기

19 무게가 똑같은 사탕 7개의 무게가 41.3 g일 때 사탕 한 개는 몇 g?

식 　 $41.3 \div 7 = \boxed{}$ (g)

20 무게가 똑같은 화분 9개의 무게가 22.5 kg일 때 화분 한 개는 몇 kg?

식 　 $22.5 \div \boxed{} = \boxed{}$ (kg)

21 일정한 빠르기로 물이 나오는 수도에서 5초 동안 47.5 mL의 물을 받았을 때 1초 동안 받은 물은 몇 mL?

식 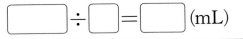 (mL)

22 일정한 빠르기로 물이 나오는 수도에서 3초 동안 26.7 mL의 물을 받았을 때 1초 동안 받은 물은 몇 mL?

식  (mL)

2

소수의 나눗셈 (1)

59

몫이 소수 한 자리 수인 (소수)÷(자연수) ②

🐻 이렇게 해결하자

• 세로로 계산하기

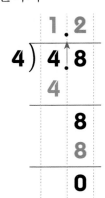

자연수의 나눗셈과 같은 방법으로 계산하고,
나누어지는 수의 소수점 위치에 맞춰
결괏값에 소수점을 올려 찍어요.

📖 계산해 보세요.

❶
$$2 \overline{)6.2}$$

❷
$$3 \overline{)9.6}$$

❸
$$4 \overline{)4.4}$$

❹
$$4 \overline{)8.8}$$

❺
$$3 \overline{)9.3}$$

❻
$$2 \overline{)6.4}$$

❼
$$5 \overline{)15.5}$$

❽
$$7 \overline{)35.7}$$

❾
$$9 \overline{)81.9}$$

⑩
$$3\,\overline{)\,1\,8\,.\,9}$$

⑪
$$4\,\overline{)\,3\,6\,.\,8}$$

⑫
$$2\,\overline{)\,1\,4\,.\,8}$$

⑬
$$7\,\overline{)\,4\,2\,.\,7}$$

⑭
$$4\,\overline{)\,2\,4\,.\,8}$$

⑮
$$9\,\overline{)\,1\,8\,.\,9}$$

⑯
$$8\,\overline{)\,5\,0\,.\,4}$$

⑰
$$3\,\overline{)\,2\,6\,.\,7}$$

⑱
$$2\,\overline{)\,1\,1\,.\,6}$$

⑲ $29.5 \div 5 =$

$$5\,\overline{)\,2\,9\,.\,5}$$

⑳ $70.4 \div 8 =$

$$8\,\overline{)\,7\,0\,.\,4}$$

㉑ $23.4 \div 6 =$

$$6\,\overline{)\,2\,3\,.\,4}$$

몫이 소수 한 자리 수인 (소수)÷(자연수) ②

🐻 계산해 보세요.

1 $2 \overline{\smash{)}4.6}$

2 $3 \overline{\smash{)}9.9}$

3 $6 \overline{\smash{)}5\,4.6}$

4 $8 \overline{\smash{)}3\,2.8}$

5 $7 \overline{\smash{)}5\,9.5}$

6 $4 \overline{\smash{)}3\,0.4}$

🐻 빈칸에 알맞은 소수를 써넣으세요.

7 20.8

$÷4$

8 40.5

$÷5$

9 24.3

$÷9$

10 47.4

$÷6$

생활 속 계산

일정한 빠르기로 가는 자동차가 연료 1 L로 달린 거리를 구하세요.

11

사용한 연료: 5 L
달린 거리: 35.5 km

$35.5 \div 5 = \boxed{}$ (km)

12

사용한 연료: 8 L
달린 거리: 55.2 km

$55.2 \div \boxed{} = \boxed{}$ (km)

13

사용한 연료: 7 L
달린 거리: 58.1 km

$\boxed{} \div \boxed{} = \boxed{}$ (km)

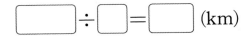

문장 읽고 계산식 세우기

14 소금 17.4 kg을 6명이 똑같이 나누어 가지면 한 명이 가지는 소금은 몇 kg?

식 $17.4 \div 6 = \boxed{}$ (kg)

15 설탕 13.6 kg을 4명이 똑같이 나누어 가지면 한 명이 가지는 설탕은 몇 kg?

식 $13.6 \div \boxed{} = \boxed{}$ (kg)

16 밧줄 45.6 m를 8명이 똑같이 나누어 가지면 한 명이 가지는 밧줄은 몇 m?

식 $\boxed{} \div \boxed{} = \boxed{}$ (m)

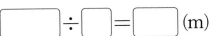

17 노끈 41.4 m를 9명이 똑같이 나누어 가지면 한 명이 가지는 노끈은 몇 m?

식 $\boxed{} \div \boxed{} = \boxed{}$ (m)

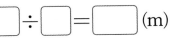

2

소수의 나눗셈 (1)

63

몫이 소수 두 자리 수인 (소수)÷(자연수) ①

이렇게 해결하자

• 분수의 나눗셈으로 바꾸어 계산하기

$$29.16 \div 4 = \frac{2916}{100} \div 4 = \frac{2916 \div 4}{100}$$
$$= \frac{729}{100} = 7.29$$

• 자연수의 나눗셈을 이용하여 계산하기

$$2916 \div 4 = 729$$

$\frac{1}{100}$배 ↓　　　　　$\frac{1}{100}$배 ↓

$$29.16 \div 4 = 7.29$$

자연수의 나눗셈을 이용하여 소수의 나눗셈을 계산해 보세요.

① $1404 \div 6 = \boxed{}$

➡ $14.04 \div 6 = \boxed{}$

② $924 \div 7 = \boxed{}$

➡ $9.24 \div 7 = \boxed{}$

③ $4653 \div 9 = \boxed{}$

➡ $46.53 \div 9 = \boxed{}$

④ $3476 \div 4 = \boxed{}$

➡ $34.76 \div 4 = \boxed{}$

⑤ $2415 \div 5 = \boxed{}$

➡ $24.15 \div 5 = \boxed{}$

⑥ $6032 \div 8 = \boxed{}$

➡ $60.32 \div 8 = \boxed{}$

⑦ $1959 \div 3 = \boxed{}$

➡ $19.59 \div 3 = \boxed{}$

⑧ $4375 \div 5 = \boxed{}$

➡ $43.75 \div 5 = \boxed{}$

⑨ $2583 \div 7 = \boxed{}$

➡ $25.83 \div 7 = \boxed{}$

⑩ $1952 \div 2 = \boxed{}$

➡ $19.52 \div 2 = \boxed{}$

🐻 계산해 보세요.

⑪ $28.71 \div 3 = \dfrac{\boxed{}}{100} \div 3 = \dfrac{\boxed{} \div 3}{100} = \dfrac{\boxed{}}{100} = \boxed{}$

⑫ $50.72 \div 8 = \dfrac{\boxed{}}{100} \div 8 = \dfrac{\boxed{} \div 8}{100} = \dfrac{\boxed{}}{100} = \boxed{}$

⑬ $21.25 \div 5 = \dfrac{\boxed{}}{100} \div 5 = \dfrac{\boxed{} \div 5}{100} = \dfrac{\boxed{}}{100} = \boxed{}$

⑭ $70.74 \div 9 = \dfrac{\boxed{}}{100} \div 9 = \dfrac{\boxed{} \div 9}{100} = \dfrac{\boxed{}}{100} = \boxed{}$

⑮ $25.76 \div 8$

⑯ $19.35 \div 3$

⑰ $46.75 \div 5$

⑱ $15.16 \div 2$

⑲ $15.92 \div 4$

⑳ $50.82 \div 6$

㉑ $17.92 \div 7$

㉒ $54.08 \div 8$

2

소수의 나눗셈 (1)

65

몫이 소수 두 자리 수인 (소수)÷(자연수) ①

🐻 보기와 같이 계산해 보세요.

1 $25.16 \div 4$

2 $31.22 \div 7$

3 $16.56 \div 3$

4 $17.26 \div 2$

5 $57.78 \div 9$

6 $20.22 \div 6$

🐻 빈칸에 알맞은 소수를 써넣으세요.

7

33.88	4	

8

23.84	8	

9

29.34	9	

10

37.95	5	

11

31.64	7	

12

37.92	6	

2

소수의 나눗셈 (1)

플러스 계산 연습

생활 속 계산

🐻 무게가 똑같은 물건 한 개의 무게를 구하세요.

13
머리핀 3개의 무게
→ 7.41 g

$7.41 \div 3 = \boxed{}$ (g)

14
칫솔 4개의 무게
→ 19.84 g

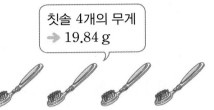

$19.84 \div 4 = \boxed{}$ (g)

15
연필 8자루의 무게
→ 26.96 g

$26.96 \div \boxed{} = \boxed{}$ (g)

16
필통 5개의 무게
→ 48.95 g

$48.95 \div \boxed{} = \boxed{}$ (g)

문장 읽고 계산식 세우기

17 길이가 48.24 m인 철사를 똑같이 9도막으로 나누었을 때 한 도막은 몇 m?

식 $48.24 \div 9 = \boxed{}$ (m)

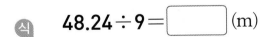

18 길이가 47.95 m인 실을 똑같이 7도막으로 나누었을 때 한 도막은 몇 m?

식 $47.95 \div \boxed{} = \boxed{}$ (m)

19 일정한 빠르기로 5일에 11.25분 늦게 간 시계가 하루에 늦게 간 시간은 몇 분?

식 $\boxed{} \div \boxed{} = \boxed{}$ (분)

20 일정한 빠르기로 3일에 10.05분 늦게 간 시계가 하루에 늦게 간 시간은 몇 분?

식 $\boxed{} \div \boxed{} = \boxed{}$ (분)

2

소수의 나눗셈 (1)

몫이 소수 두 자리 수인 (소수)÷(자연수) ②

이렇게 해결하자

• 세로로 계산하기

```
          9.5 3
   ┌─────────────
3 ) 2 8.5 9
     2 7
   ─────────
       1 5
       1 5
   ─────────
           9
           9
   ─────────
           0
```

자연수의 나눗셈과 같은 방법으로 계산하고,
나누어지는 수의 소수점 위치에 맞춰
결괏값에 소수점을 올려 찍어요.

계산해 보세요.

①
```
7 ) 1 2.8 8
```

②
```
8 ) 5 0.1 6
```

③
```
3 ) 2 5.0 5
```

④
```
4 ) 3 8.5 6
```

⑤
```
2 ) 1 7.9 4
```

⑥
```
9 ) 4 0.7 7
```

기초 계산 연습

⑦　6)16.98

⑧　4)29.84

⑨　7)60.13

⑩　5)22.85

⑪　9)65.07

⑫　3)20.55

⑬　31.36÷8=☐　8)31.36

⑭　18.74÷2=☐　2)18.74

⑮　52.56÷9=☐　9)52.56

몫이 소수 두 자리 수인 (소수)÷(자연수) ②

🐻 계산해 보세요.

1 6)42.84

2 5)19.75

3 2)10.74

4 7)20.02

5 9)41.31

6 4)35.72

🐻 빈칸에 알맞은 소수를 써넣으세요.

7 55.28 → ÷8 →

8 25.38 → ÷3 →

9 22.89 → ÷7 →

10 28.62 → ÷6 →

11 36.75 → ÷5 →

12 22.68 → ÷9 →

생활 속 계산

동물들에게 먹이를 똑같이 나누어 주려고 합니다. 한 마리당 몇 kg씩 나누어 주어야 하는지 구하세요.

13
 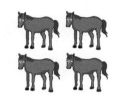

27.48 kg

$27.48 \div 4 = \boxed{}$ (kg)

14

12.65 kg

$12.65 \div 5 = \boxed{}$ (kg)

15

27.72 kg

$27.72 \div \boxed{} = \boxed{}$ (kg)

16

8.04 kg

$8.04 \div \boxed{} = \boxed{}$ (kg)

문장 읽고 계산식 세우기

17
페인트 26.11 L를 7통에 똑같이 나누어 담으면 한 통에 담는 페인트는 몇 L?

식 $26.11 \div 7 = \boxed{}$ (L)

18
수돗물 35.12 L를 8통에 똑같이 나누어 담으면 한 통에 담는 수돗물은 몇 L?

식 $35.12 \div \boxed{} = \boxed{}$ (L)

19
일정한 빠르기로 가는 버스가 9분 동안 11.88 km를 갔을 때 1분 동안 간 거리는 몇 km?

식 $\boxed{} \div \boxed{} = \boxed{}$ (km)

20
일정한 빠르기로 가는 기차가 6분 동안 21.72 km를 갔을 때 1분 동안 간 거리는 몇 km?

식 $\boxed{} \div \boxed{} = \boxed{}$ (km)

몫이 1보다 작은 소수 한 자리 수인 (소수)÷(자연수) ①

이렇게 해결하자

• 분수의 나눗셈으로 바꾸어 계산하기

$$6.3 \div 9 = \frac{63}{10} \div 9 = \frac{63 \div 9}{10}$$
$$= \frac{7}{10} = 0.7$$

• 자연수의 나눗셈을 이용하여 계산하기

$$63 \div 9 = 7$$

$\frac{1}{10}$배 ↓ $\frac{1}{10}$배 ↓

$$6.3 \div 9 = 0.7$$

자연수의 나눗셈을 이용하여 소수의 나눗셈을 계산해 보세요.

① $28 \div 4 = \boxed{}$

➡ $2.8 \div 4 = \boxed{}$

② $21 \div 7 = \boxed{}$

➡ $2.1 \div 7 = \boxed{}$

③ $12 \div 3 = \boxed{}$

➡ $1.2 \div 3 = \boxed{}$

④ $32 \div 8 = \boxed{}$

➡ $3.2 \div 8 = \boxed{}$

⑤ $18 \div 2 = \boxed{}$

➡ $1.8 \div 2 = \boxed{}$

⑥ $54 \div 6 = \boxed{}$

➡ $5.4 \div 6 = \boxed{}$

⑦ $35 \div 5 = \boxed{}$

➡ $3.5 \div 5 = \boxed{}$

⑧ $45 \div 9 = \boxed{}$

➡ $4.5 \div 9 = \boxed{}$

⑨ $56 \div 7 = \boxed{}$

➡ $5.6 \div 7 = \boxed{}$

⑩ $12 \div 4 = \boxed{}$

➡ $1.2 \div 4 = \boxed{}$

🐻 계산해 보세요.

⑪ $1.5 \div 5 = \dfrac{\boxed{}}{10} \div 5 = \dfrac{\boxed{} \div 5}{10} = \dfrac{\boxed{}}{10} = \boxed{}$

⑫ $7.2 \div 9 = \dfrac{\boxed{}}{10} \div 9 = \dfrac{\boxed{} \div 9}{10} = \dfrac{\boxed{}}{10} = \boxed{}$

⑬ $2.4 \div 4 = \dfrac{\boxed{}}{10} \div 4 = \dfrac{\boxed{} \div 4}{10} = \dfrac{\boxed{}}{10} = \boxed{}$

⑭ $1.4 \div 7 = \dfrac{\boxed{}}{10} \div 7 = \dfrac{\boxed{} \div 7}{10} = \dfrac{\boxed{}}{10} = \boxed{}$

⑮ $4.2 \div 6$

⑯ $2.5 \div 5$

⑰ $7.2 \div 8$

⑱ $2.4 \div 3$

⑲ $3.6 \div 4$

⑳ $2.8 \div 7$

㉑ $1.8 \div 9$

㉒ $1.2 \div 2$

2

소수의 나눗셈 (1)

73

몫이 1보다 작은 소수 한 자리 수인 (소수)÷(자연수) ①

보기와 같이 계산해 보세요.

보기

$$4.2 \div 7 = \frac{42}{10} \div 7 = \frac{42 \div 7}{10} = \frac{6}{10} = 0.6$$

1 $4.5 \div 5$

2 $3.6 \div 9$

3 $2.1 \div 3$

4 $2.4 \div 4$

5 $3.2 \div 8$

6 $1.6 \div 2$

빈칸에 알맞은 소수를 써넣으세요.

7

| 3.6 | ÷6 | |

8

| 1.5 | ÷5 | |

9

| 1.8 | ÷9 | |

10

| 6.3 | ÷7 | |

11

| 6.4 | ÷8 | |

12

| 2.8 | ÷7 | |

생활 속 계산

무게가 똑같은 채소를 전자저울로 무게를 재었습니다. 채소 한 개의 무게를 구하세요.

13

$1.6 \div 4 = \boxed{}$ (kg)

14

$2.4 \div 6 = \boxed{}$ (kg)

15

$1.8 \div \boxed{} = \boxed{}$ (kg)

16

$2.5 \div \boxed{} = \boxed{}$ (kg)

문장 읽고 계산식 세우기

17 넓이가 7.2 m²인 텃밭을 똑같이 8군데로 나누었을 때 한 군데는 몇 m²?

식 $7.2 \div 8 = \boxed{}$ (m²)

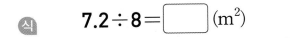

18 넓이가 4.9 m²인 화단을 똑같이 7군데로 나누었을 때 한 군데는 몇 m²?

식 $4.9 \div \boxed{} = \boxed{}$ (m²)

19 무게가 똑같은 벽돌 3개의 무게가 2.7 kg일 때 벽돌 한 개는 몇 kg?

식 $\boxed{} \div \boxed{} = \boxed{}$ (kg)

20 무게가 똑같은 벽돌 6개의 무게가 4.8 kg일 때 벽돌 한 개는 몇 kg?

식 $\boxed{} \div \boxed{} = \boxed{}$ (kg)

2

소수의 나눗셈 (1)

75

몫이 1보다 작은 소수 한 자리 수인 (소수)÷(자연수) ②

이렇게 해결하자

- 세로로 계산하기

```
       0.3
   7 ) 2.1
       2 1
       ───
         0
```

> 몫이 1보다 작으면 자연수 자리에 0을 써요.

🐻 계산해 보세요.

①
```
3 ) 1.8
```

②
```
8 ) 1.6
```

③
```
4 ) 1.2
```

④
```
9 ) 5.4
```

⑤
```
7 ) 2.8
```

⑥
```
6 ) 3.6
```

⑦
```
2 ) 1.8
```

⑧
```
5 ) 2.5
```

⑨
```
8 ) 7.2
```

⑩
$5 \overline{)3.5}$

⑪
$9 \overline{)2.7}$

⑫
$3 \overline{)2.4}$

⑬
$7 \overline{)5.6}$

⑭
$2 \overline{)1.4}$

⑮
$8 \overline{)4.8}$

⑯
$4 \overline{)3.2}$

⑰
$6 \overline{)5.4}$

⑱
$9 \overline{)3.6}$

⑲ $7.2 \div 9 = \boxed{}$

$9 \overline{)7.2}$

⑳ $3.5 \div 7 = \boxed{}$

$7 \overline{)3.5}$

㉑ $2.8 \div 4 = \boxed{}$

$4 \overline{)2.8}$

2

소수의 나눗셈 (1)

77

7 일차 몫이 1보다 작은 소수 한 자리 수인 (소수)÷(자연수) ②

🐻 계산해 보세요.

1 6)1.2

2 4)3.6

3 5)4.5

4 8)4.8

5 3)1.2

6 9)5.4

🐻 빈칸에 알맞은 소수를 써넣으세요.

7
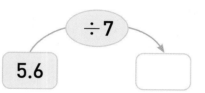

8
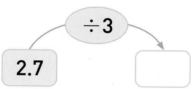

9
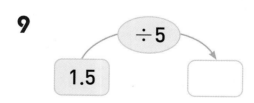

10
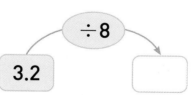

11

12
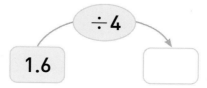

생활 속 계산

 무게가 똑같은 물건 한 개의 무게를 구하세요.

13

> 축구공 6개의 무게
> → 2.4 kg

$2.4 \div 6 = \boxed{}$ (kg)

14

> 야구방망이 4개의 무게
> → 1.2 kg

$1.2 \div 4 = \boxed{}$ (kg)

15

> 야구공 9개의 무게
> → 1.8 kg

$1.8 \div \boxed{} = \boxed{}$ (kg)

16

> 농구공 3개의 무게
> → 2.1 kg

$2.1 \div \boxed{} = \boxed{}$ (kg)

문장 읽고 계산식 세우기

17 호두 1.8 kg을 6봉지에 똑같이 나누어 담을 때 한 봉지에 담아야 하는 호두는 몇 kg?

식 $1.8 \div 6 = \boxed{}$ (kg)

18 땅콩 4.2 kg을 7봉지에 똑같이 나누어 담을 때 한 봉지에 담아야 하는 땅콩은 몇 kg?

식 $4.2 \div \boxed{} = \boxed{}$ (kg)

19 길이가 2.4 m인 나무토막을 똑같이 8도막으로 잘랐을 때 한 도막은 몇 m?

식 $\boxed{} \div \boxed{} = \boxed{}$ (m)

20 길이가 3.2 m인 나무토막을 똑같이 4도막으로 잘랐을 때 한 도막은 몇 m?

식 $\boxed{} \div \boxed{} = \boxed{}$ (m)

2

소수의 나눗셈 (1)

계산해 보세요.

① 6.4÷2

② 32.5÷5

③ 25.68÷6

④ 24.66÷9

⑤ 4.5÷5

⑥ 6.4÷8

⑦

$$4\overline{)8.4}$$

⑧

$$7\overline{)18.2}$$

⑨

$$3\overline{)17.22}$$

⑩

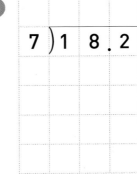

$$9\overline{)65.88}$$

⑪

$$4\overline{)2.4}$$

⑫

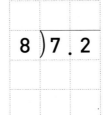

$$8\overline{)7.2}$$

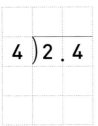

🐻 빈칸에 알맞은 소수를 써넣으세요.

⑬ ÷

| 8.6 | 2 | |

⑭ ÷

| 36.8 | 4 | |

⑮ ÷

| 50.4 | 6 | |

⑯ ÷

| 61.6 | 8 | |

⑰ ÷

| 25.06 | 7 | |

⑱ ÷

| 18.74 | 2 | |

⑲ ÷

| 25.44 | 4 | |

⑳ ÷

| 22.68 | 9 | |

㉑ ÷

| 38.85 | 5 | |

㉒ ÷

| 58.98 | 6 | |

㉓ ÷

| 3.6 | 9 | |

㉔ ÷

| 6.3 | 7 | |

㉕ ÷

| 1.5 | 3 | |

제한 시간 안에 정확하게
모두 풀었다면 여러분은 진정한 **계산왕!**

문장제 문제 도전하기

1 $11.2 \div 4 =$ ☐ → 당나귀에게 당근 **11.2** kg을 **4**일 동안 똑같이 나누어 주려고 할 때, 하루에 주어야 하는 당근은 몇 kg일까요?

이 나눗셈식이 실생활에서 어떤 상황에 이용될까요?

4일 동안 똑같이 나누면?

11.2 kg

식 ☐ ÷ ☐ = ☐

답 _____ kg

2 $4.2 \div 6 =$ ☐ → 펭귄에게 생선 **4.2** kg을 **6**일 동안 똑같이 나누어 주려고 할 때, 하루에 주어야 하는 생선은 몇 kg일까요?

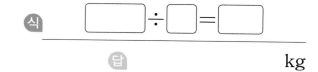

6일 동안 똑같이 나누면?

4.2 kg

식 ☐ ÷ ☐ = ☐

답 _____ kg

3 $9.84 \div 8 =$ ☐ → 원숭이에게 바나나 **9.84** kg을 **8**일 동안 똑같이 나누어 주려고 할 때, 하루에 주어야 하는 바나나는 몇 kg일까요?

8일 동안 똑같이 나누면?

9.84 kg

식 ☐ ÷ ☐ = ☐

답 _____ kg

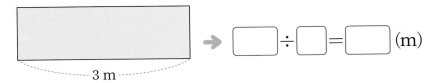

문장을 읽고 알맞은 나눗셈식을 세워 답을 구해 보자!

4 가로가 **3** m이고 넓이가 **2.7** m²인 직사각형의 세로는 몇 m인지 구하세요.

3 m

→ ⬚ ÷ ⬚ = ⬚ (m)

5 세로가 **4** m이고 넓이가 **29.76** m²인 직사각형의 가로는 몇 m인지 구하세요.

4 m

→ ⬚ ÷ ⬚ = ⬚ (m)

6 가로가 **4** cm이고 넓이가 **15.48** cm²인 직사각형의 세로는 몇 cm인지 구하세요.

4 cm

→ ⬚ ÷ ⬚ = ⬚ (cm)

창의·융합·코딩·도전하기

라라의 키를 구해 봐.

융합 1 친구들은 경주에 있는 불국사로 떠났어요.

 다보탑의 높이가 너의 키의 7배라면 네 키는 몇 m인 거야?

$$10.29 \div \boxed{} = \boxed{} \ (m)$$

내 키는 $\boxed{}$ m야.

사다리를 타고 내려가 도착한 곳에 몫을 써넣으세요.

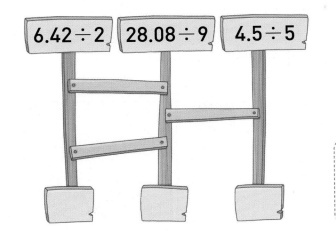

선을 따라 내려가다가 가로로 놓인 선을 만나면 가로 선을 따라갑니다.

 보기 와 같이 4장의 수 카드 중 3장을 사용하여 가장 큰 소수 두 자리 수를 만든 후 이 수를 남은 수 카드의 수로 나누었을 때의 몫을 구하세요.

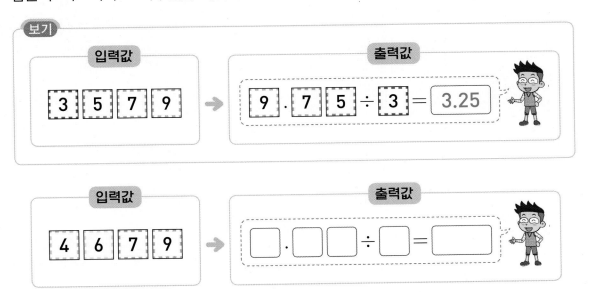

소수의 나눗셈 (2)

 실생활에서 알아보는 재미있는 수학 이야기

이번에 배울 내용을 알아볼까요?

1 몫이 1보다 작은 소수 두 자리 수인 (소수)÷(자연수) ①

이렇게 해결하자

• 분수의 나눗셈으로 바꾸어 계산하기

$$4.98÷6=\frac{498}{100}÷6=\frac{498÷6}{100}$$
$$=\frac{83}{100}=0.83$$

• 자연수의 나눗셈을 이용하여 계산하기

$$498 ÷ 6 = 83$$

$\frac{1}{100}$배 ↓　　　　$\frac{1}{100}$배 ↓

$$4.98 ÷ 6 = 0.83$$

자연수의 나눗셈을 이용하여 소수의 나눗셈을 계산해 보세요.

① $648÷9=$ ☐
→ $6.48÷9=$ ☐

② $215÷5=$ ☐
→ $2.15÷5=$ ☐

③ $252÷7=$ ☐
→ $2.52÷7=$ ☐

④ $194÷2=$ ☐
→ $1.94÷2=$ ☐

⑤ $276÷4=$ ☐
→ $2.76÷4=$ ☐

⑥ $258÷3=$ ☐
→ $2.58÷3=$ ☐

⑦ $475÷5=$ ☐
→ $4.75÷5=$ ☐

⑧ $372÷6=$ ☐
→ $3.72÷6=$ ☐

⑨ $144÷3=$ ☐
→ $1.44÷3=$ ☐

⑩ $312÷8=$ ☐
→ $3.12÷8=$ ☐

🐻 계산해 보세요.

⑪ $1.08 \div 6 = \dfrac{\boxed{}}{100} \div 6 = \dfrac{\boxed{} \div 6}{100} = \dfrac{\boxed{}}{100} = \boxed{}$

⑫ $3.15 \div 9 = \dfrac{315}{\boxed{}} \div 9 = \dfrac{\boxed{} \div 9}{100} = \dfrac{\boxed{}}{100} = \boxed{}$

⑬ $0.95 \div 5 = \dfrac{95}{\boxed{}} \div 5 = \dfrac{95 \div 5}{\boxed{}} = \dfrac{\boxed{}}{100} = \boxed{}$

⑭ $0.34 \div 2 = \dfrac{34}{\boxed{}} \div 2 = \dfrac{\boxed{} \div 2}{100} = \dfrac{\boxed{}}{100} = \boxed{}$

⑮ $6.86 \div 7$

⑯ $2.58 \div 3$

⑰ $3.84 \div 6$

⑱ $1.84 \div 8$

⑲ $0.92 \div 2$

⑳ $0.76 \div 4$

㉑ $0.65 \div 5$

㉒ $0.81 \div 3$

몫이 1보다 작은 소수 두 자리 수인 (소수)÷(자연수) ①

보기와 같이 계산해 보세요.

보기

$$4.65 \div 5 = \frac{465}{100} \div 5 = \frac{465 \div 5}{100} = \frac{93}{100} = 0.93$$

1 1.16÷4

2 2.56÷8

3 2.52÷3

4 6.57÷9

5 3.29÷7

6 1.38÷2

빈칸에 알맞은 소수를 써넣으세요.

7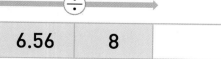

| 2.25 | 9 | |

8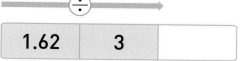

| 3.42 | 6 | |

9

| 6.56 | 8 | |

10

| 1.62 | 3 | |

생활 속 계산

무게가 똑같은 통조림을 전자저울로 무게를 재었습니다. 통조림 한 개의 무게를 구하세요.

11

$5.46 \div 6 =$ ☐ (kg)

12

$1.56 \div 4 =$ ☐ (kg)

13

☐ $\div$ ☐ $=$ ☐ (kg)

14

☐ $\div$ ☐ $=$ ☐ (kg)

문장 읽고 계산식 세우기

15

옥수수 5.32 kg을 7자루에 똑같이 나누어 담을 때 한 자루에 담아야 하는 옥수수는 몇 kg?

식　$5.32 \div 7 =$ ☐ (kg)

_____

16

감자 6.72 kg을 8자루에 똑같이 나누어 담을 때 한 자루에 담아야 하는 감자는 몇 kg?

식　$6.72 \div$ ☐ $=$ ☐ (kg)

_____

17

길이가 0.72 m인 테이프를 똑같이 2도막으로 나누었을 때 한 도막은 몇 m?

식　☐ $\div$ ☐ $=$ ☐ (m)

_____

18

길이가 0.87 m인 고무줄을 똑같이 3도막으로 나누었을 때 한 도막은 몇 m?

식　☐ $\div$ ☐ $=$ ☐ (m)

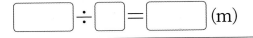

_____

3

소수의 나눗셈 (2)

몫이 1보다 작은 소수 두 자리 수인 (소수)÷(자연수) ②

이렇게 해결하자

- 세로로 계산하기

```
      0.2 7
  8 ) 2.1 6
      1 6
      ─────
        5 6
        5 6
      ─────
          0
```

몫이 1보다 작으므로 몫의
자연수 부분에 0을 쓰고
소수점을 올려 찍어야 해요.

계산해 보세요.

1

```
2 ) 0.6 2
```

2

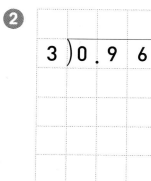

```
3 ) 0.9 6
```

3

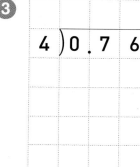

```
4 ) 0.7 6
```

4

```
8 ) 0.9 6
```

5

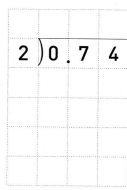

```
5 ) 0.8 5
```

6

```
2 ) 0.7 4
```

7

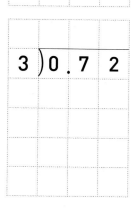

```
3 ) 0.7 2
```

8

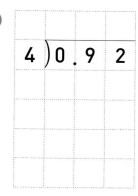

```
4 ) 0.9 2
```

9

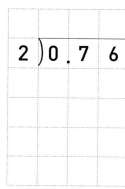

```
2 ) 0.7 6
```

기초 계산 연습

⑩
```
7)4.41
```

⑪
```
2)1.12
```

⑫
```
7)1.68
```

⑬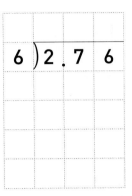
```
6)2.76
```

⑭
```
8)2.08
```

⑮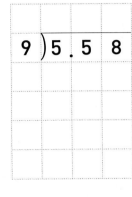
```
9)5.58
```

⑯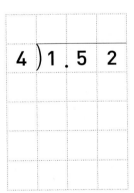
```
4)1.52
```

⑰
```
7)6.58
```

⑱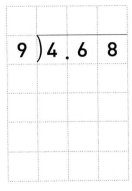
```
9)4.68
```

⑲ 6.08÷8＝ □
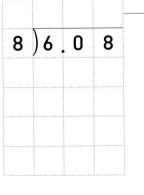
```
8)6.08
```

⑳ 2.55÷3＝ □
```
3)2.55
```

㉑ 1.38÷6＝ □
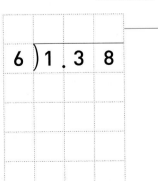
```
6)1.38
```

계산해 보세요.

1 $5 \overline{)3.6\,5}$

2 $3 \overline{)0.8\,4}$

3 $2 \overline{)0.7\,8}$

4 $9 \overline{)6.1\,2}$

5 $5 \overline{)4.1\,5}$

6 $8 \overline{)0.9\,6}$

 빈칸에 알맞은 소수를 써넣으세요.

7   0.85
$$\div 5$$

8   1.33
$$\div 7$$

9   1.35
$$\div 9$$

10   2.16
$$\div 6$$

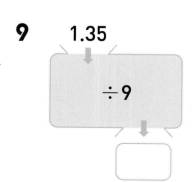

플러스 계산 연습

생활 속 계산

🐻 친구들이 목장에서 주어진 시간 동안 일정한 빠르기로 짠 우유의 양을 보고 1분 동안 짠 우유는 몇 L 인지 구하세요.

11

7분

0.98 L

$0.98 \div 7 =$ ☐ (L)

12

4분

0.72 L

$0.72 \div 4 =$ ☐ (L)

13

6분

0.84 L

☐ $\div$ ☐ $=$ ☐ (L)

14

3분

0.78 L

☐ $\div$ ☐ $=$ ☐ (L)

문장 읽고 계산식 세우기

15 1.12 L의 식용유를 8명이 똑같이 나누어 사용할 때 한 명이 사용할 수 있는 식용유는 몇 L?

식 $1.12 \div 8 =$ ☐ (L)

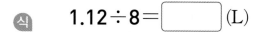

16 0.64 L의 주스를 4명이 똑같이 나누어 마실 때 한 명이 마실 수 있는 주스는 몇 L?

식 $0.64 \div$ ☐ $=$ ☐ (L)

17 사탕 1.86 kg을 6명이 똑같이 나누어 가지면 한 명이 가지는 사탕은 몇 kg?

식 ☐ $\div$ ☐ $=$ ☐ (kg)

18 젤리 2.34 kg을 9명이 똑같이 나누어 가지면 한 명이 가지는 젤리는 몇 kg?

식 ☐ $\div$ ☐ $=$ ☐ (kg)

소수점 아래 0을 내려 계산하는 (소수)÷(자연수) ①

이렇게 해결하자

- 분수의 나눗셈으로 바꾸어 계산하기

$$8.6 \div 5 = \frac{860}{100} \div 5 = \frac{860 \div 5}{100}$$

$$= \frac{172}{100} = 1.72$$

- 자연수의 나눗셈을 이용하여 계산하기

$$860 \div 5 = 172$$

$\frac{1}{100}$배 ↓　　　　　　　$\frac{1}{100}$배 ↓

$$8.6 \div 5 = 1.72$$

자연수의 나눗셈을 이용하여 소수의 나눗셈을 계산해 보세요.

❶ $180 \div 4 = \boxed{}$

➔ $1.8 \div 4 = \boxed{}$

❷ $860 \div 4 = \boxed{}$

➔ $8.6 \div 4 = \boxed{}$

❸ $510 \div 6 = \boxed{}$

➔ $5.1 \div 6 = \boxed{}$

❹ $990 \div 2 = \boxed{}$

➔ $9.9 \div 2 = \boxed{}$

❺ $380 \div 5 = \boxed{}$

➔ $3.8 \div 5 = \boxed{}$

❻ $780 \div 4 = \boxed{}$

➔ $7.8 \div 4 = \boxed{}$

❼ $440 \div 8 = \boxed{}$

➔ $4.4 \div 8 = \boxed{}$

❽ $670 \div 5 = \boxed{}$

➔ $6.7 \div 5 = \boxed{}$

❾ $450 \div 6 = \boxed{}$

➔ $4.5 \div 6 = \boxed{}$

❿ $280 \div 8 = \boxed{}$

➔ $2.8 \div 8 = \boxed{}$

기초 계산 연습

🐻 계산해 보세요.

⑪ $8.9 \div 5 = \dfrac{\boxed{}}{100} \div 5 = \dfrac{\boxed{} \div 5}{100} = \dfrac{\boxed{}}{100} = \boxed{}$

⑫ $5.4 \div 4 = \dfrac{\boxed{}}{100} \div 4 = \dfrac{\boxed{} \div 4}{100} = \dfrac{\boxed{}}{100} = \boxed{}$

⑬ $7.5 \div 6 = \dfrac{\boxed{}}{100} \div 6 = \dfrac{\boxed{} \div 6}{100} = \dfrac{\boxed{}}{100} = \boxed{}$

⑭ $9.2 \div 8 = \dfrac{\boxed{}}{100} \div 8 = \dfrac{\boxed{} \div 8}{100} = \dfrac{\boxed{}}{100} = \boxed{}$

⑮ $8.4 \div 5$

⑯ $2.3 \div 2$

⑰ $11.8 \div 4$

⑱ $7.2 \div 5$

⑲ $19.5 \div 2$

⑳ $9.3 \div 2$

㉑ $17.7 \div 5$

㉒ $3.5 \div 2$

소수점 아래 0을 내려 계산하는 (소수)÷(자연수) ①

 보기와 같이 계산해 보세요.

> **보기**
> $$6.3 \div 2 = \frac{630}{100} \div 2 = \frac{630 \div 2}{100} = \frac{315}{100} = 3.15$$

1 9.4÷4

2 7.9÷5

3 63.6÷8

4 20.7÷6

5 29.2÷5

6 18.9÷2

빈칸에 알맞은 소수를 써넣으세요.

7

| 7.6 | → | ÷ 5 | → | |

8

| 26.1 | → | ÷ 6 | → | |

9

| 9.4 | → | ÷ 4 | → | |

10

| 31.6 | → | ÷ 8 | → | |

생활 속 계산

자전거를 타고 트랙을 따라 구간별로 일정한 빠르기로 달렸습니다. 각 구간에서 1분 동안 달린 거리를 구하세요.

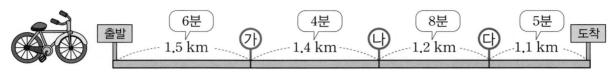

6분   1.5 km   가   4분   1.4 km   나   8분   1.2 km   다   5분   1.1 km   도착
출발

11 출발 ~ 가

$$1.5 \div 6 = \boxed{} \text{(km)}$$

12 가 ~ 나

$$1.4 \div 4 = \boxed{} \text{(km)}$$

13 나 ~ 다

$$1.2 \div 8 = \boxed{} \text{(km)}$$

14 다 ~ 도착

$$1.1 \div 5 = \boxed{} \text{(km)}$$

문장 읽고 계산식 세우기

15 사료 6.2 kg을 고양이 5마리에게 똑같이 나누어 줄 때 한 마리당 몇 kg?

식 $6.2 \div 5 = \boxed{} \text{(kg)}$

16 사료 6.9 kg을 강아지 6마리에게 똑같이 나누어 줄 때 한 마리당 몇 kg?

식 $6.9 \div \boxed{} = \boxed{} \text{(kg)}$

17 길이가 20.4 m인 리본을 8도막으로 똑같이 나눌 때 한 도막은 몇 m?

식 $\boxed{} \div \boxed{} = \boxed{} \text{(m)}$

18 길이가 17.9 m인 철사를 2도막으로 똑같이 나눌 때 한 도막은 몇 m?

식 $\boxed{} \div \boxed{} = \boxed{} \text{(m)}$

소수점 아래 0을 내려 계산하는 (소수)÷(자연수) ②

이렇게 해결하자

- 세로로 계산하기

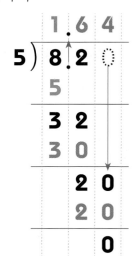

나누어지는 수의 오른쪽
끝자리의 0을 내려 계산해요.

계산해 보세요.

❶

$$8) 9.2$$

❷

$$5) 7.8$$

❸

$$4) 5.4$$

❹

$$6) 7.5$$

❺

$$2) 8.7$$

❻

$$5) 6.6$$

❼
$$6 \overline{)5\ 6\,.\,7}$$

❽
$$2 \overline{)1\ 5\,.\,9}$$

❾
$$5 \overline{)4\ 2\,.\,8}$$

❿
$$4 \overline{)1\ 5\,.\,8}$$

⓫
$$8 \overline{)5\ 4\,.\,8}$$

⓬
$$6 \overline{)2\ 6\,.\,1}$$

⓭ $11.7 \div 5 = \boxed{}$
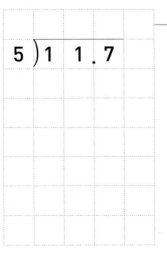
$$5 \overline{)1\ 1\,.\,7}$$

⓮ $21.8 \div 4 = \boxed{}$
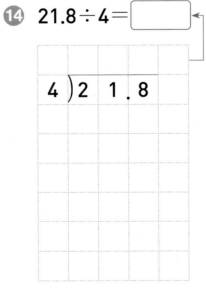
$$4 \overline{)2\ 1\,.\,8}$$

⓯ $16.7 \div 2 = \boxed{}$
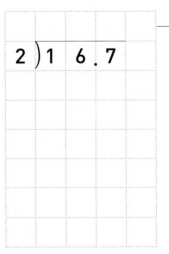
$$2 \overline{)1\ 6\,.\,7}$$

3

소수의 나눗셈 (2)

101

소수점 아래 0을 내려 계산하는 (소수)÷(자연수) ②

 계산해 보세요.

1 $4\overline{)7.8}$

2 $6\overline{)5.7}$

3 $5\overline{)1.2}$

4 $6\overline{)9.3}$

5 $2\overline{)8.3}$

6 $6\overline{)8.1}$

 빈칸에 알맞은 소수를 써넣으세요.

7

| 6.7 | ÷ 2 | |

8

| 25.4 | ÷ 4 | |

9

| 11.4 | ÷ 5 | |

10

| 41.2 | ÷ 8 | |

생활 속 계산

🐻 무게가 똑같은 샌드위치를 보고 샌드위치 한 개의 무게를 구하세요.

11

샌드위치 6개의 무게
➡ 95.1 g

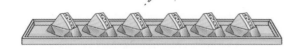

$$\boxed{} \div 6 = \boxed{}\ (g)$$

12

샌드위치 5개의 무게
➡ 99.2 g

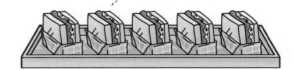

$$99.2 \div 5 = \boxed{}\ (g)$$

13

샌드위치 4개의 무게
➡ 93.8 g

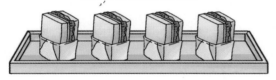

$$\boxed{} \div \boxed{} = \boxed{}\ (g)$$

14

샌드위치 2개의 무게
➡ 73.5 g

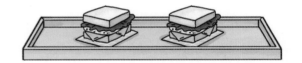

$$\boxed{} \div \boxed{} = \boxed{}\ (g)$$

103

문장 읽고 계산식 세우기

15

둘레가 34.6 cm인 정사각형의 한 변의 길이는 몇 cm?

식　$$34.6 \div 4 = \boxed{}\ (cm)$$

16

둘레가 15.4 cm인 정사각형의 한 변의 길이는 몇 cm?

식　$$15.4 \div \boxed{} = \boxed{}\ (cm)$$

17

둘레가 31.2 cm인 정오각형의 한 변의 길이는 몇 cm?

식　$$\boxed{} \div \boxed{} = \boxed{}\ (cm)$$

18

둘레가 43.5 cm인 정육각형의 한 변의 길이는 몇 cm?

식　$$\boxed{} \div \boxed{} = \boxed{}\ (cm)$$

3

소수의 나눗셈 (2)

몫의 소수 첫째 자리에 0이 있는 (소수)÷(자연수) ①

- 분수의 나눗셈으로 바꾸어 계산하기

$$5.1 \div 5 = \frac{510}{100} \div 5 = \frac{510 \div 5}{100}$$

$$= \frac{102}{100} = 1.02$$

- 자연수의 나눗셈을 이용하여 계산하기

$$510 \div 5 = 102$$

$$\frac{1}{100}\text{배} \downarrow \qquad\qquad \frac{1}{100}\text{배} \downarrow$$

$$5.1 \div 5 = 1.02$$

🐻 자연수의 나눗셈을 이용하여 소수의 나눗셈을 계산해 보세요.

① $520 \div 5 = \boxed{}$

➡ $5.2 \div 5 = \boxed{}$

② $981 \div 9 = \boxed{}$

➡ $9.81 \div 9 = \boxed{}$

③ $615 \div 3 = \boxed{}$

➡ $6.15 \div 3 = \boxed{}$

④ $218 \div 2 = \boxed{}$

➡ $2.18 \div 2 = \boxed{}$

⑤ $756 \div 7 = \boxed{}$

➡ $7.56 \div 7 = \boxed{}$

⑥ $624 \div 3 = \boxed{}$

➡ $6.24 \div 3 = \boxed{}$

⑦ $410 \div 2 = \boxed{}$

➡ $4.1 \div 2 = \boxed{}$

⑧ $742 \div 7 = \boxed{}$

➡ $7.42 \div 7 = \boxed{}$

⑨ $1854 \div 6 = \boxed{}$

➡ $18.54 \div 6 = \boxed{}$

⑩ $3525 \div 5 = \boxed{}$

➡ $35.25 \div 5 = \boxed{}$

🐻 계산해 보세요.

⑪ $9.15 \div 3 = \dfrac{\boxed{}}{100} \div 3 = \dfrac{\boxed{} \div 3}{100} = \dfrac{\boxed{}}{100} = \boxed{}$

⑫ $4.36 \div 4 = \dfrac{\boxed{}}{100} \div 4 = \dfrac{\boxed{} \div 4}{100} = \dfrac{\boxed{}}{100} = \boxed{}$

⑬ $6.18 \div 3 = \dfrac{\boxed{}}{100} \div 3 = \dfrac{\boxed{} \div 3}{100} = \dfrac{\boxed{}}{100} = \boxed{}$

⑭ $5.15 \div 5 = \dfrac{\boxed{}}{100} \div 5 = \dfrac{\boxed{} \div 5}{100} = \dfrac{\boxed{}}{100} = \boxed{}$

⑮ $6.48 \div 6$

⑯ $9.18 \div 3$

⑰ $7.35 \div 7$

⑱ $8.28 \div 4$

⑲ $8.16 \div 2$

⑳ $5.45 \div 5$

㉑ $24.18 \div 3$

㉒ $45.72 \div 9$

몫의 소수 첫째 자리에 0이 있는 (소수)÷(자연수) ①

🐻 **보기** 와 같이 계산해 보세요.

> **보기**
>
> $7.14 \div 7 = \dfrac{714}{100} \div 7 = \dfrac{714 \div 7}{100} = \dfrac{102}{100} = 1.02$

1 $24.24 \div 4$

2 $40.3 \div 5$

3 $27.24 \div 3$

4 $49.21 \div 7$

5 $32.72 \div 8$

6 $12.16 \div 2$

🐻 빈칸에 알맞은 소수를 써넣으세요.

7

14.35 → ÷7 →

8

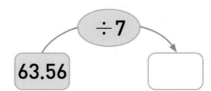

63.56 → ÷7 →

9

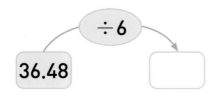

36.48 → ÷6 →

10

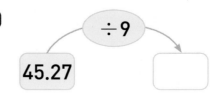

45.27 → ÷9 →

생활 속 계산

🐻 주어진 밀가루를 봉지에 똑같이 나누어 담으려고 합니다. 한 봉지에 담아야 하는 밀가루의 양을 구하세요.

11

밀가루 8.24 kg

봉지 4개에 담으면 한 봉지당 ☐ kg

12

밀가루 9.12 kg

봉지 3개에 담으면 한 봉지당 ☐ kg

13

밀가루 12.42 kg

봉지 6개에 담으면 한 봉지당 ☐ kg

14

밀가루 5.35 kg

봉지 5개에 담으면 한 봉지당 ☐ kg

3

소수의 나눗셈 (2)

107

문장 읽고 계산식 세우기

15 넓이가 3.24 cm²인 종이를 똑같이 3조각으로 잘랐을 때 한 조각은 몇 cm²?

식 $3.24 \div$ ☐ $=$ ☐ (cm²)

16 넓이가 12.24 cm²인 종이를 똑같이 6조각으로 잘랐을 때 한 조각은 몇 cm²?

식 ☐ $\div 6 =$ ☐ (cm²)

17 똑같은 사전 9권의 무게가 9.18 kg일 때 사전 한 권은 몇 kg?

식 ☐ $\div$ ☐ $=$ ☐ (kg)

18 똑같은 책 3권의 무게가 3.21 kg일 때 책 한 권은 몇 kg?

식 ☐ $\div$ ☐ $=$ ☐ (kg)

몫의 소수 첫째 자리에 0이 있는 (소수)÷(자연수) ②

이렇게 해결하자

• 세로로 계산하기

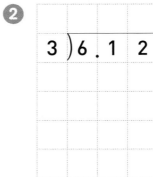

3

소수의 나눗셈 (2)

108

계산해 보세요.

①
$$4 \overline{)4.28}$$

②
$$3 \overline{)6.12}$$

③
$$8 \overline{)8.64}$$

④
$$3 \overline{)9.21}$$

⑤
$$7 \overline{)7.63}$$

⑥
$$2 \overline{)4.18}$$

⑦
$$6 \overline{)6.18}$$

⑧
$$9 \overline{)9.54}$$

⑨
$$5 \overline{)5.15}$$

기초 계산 연습

▶ 정답과 해설 18~19쪽

⑩
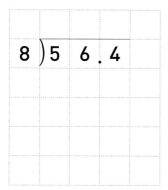

$$8 \overline{)5 \; 6 \; . \; 4}$$

⑪

$$6 \overline{)4 \; 8 \; . \; 3}$$

⑫

$$8 \overline{)2 \; 4 \; . \; 4}$$

⑬

$$7 \overline{)2 \; 8 \; . \; 3 \; 5}$$

⑭

$$4 \overline{)3 \; 6 \; . \; 3 \; 2}$$

⑮
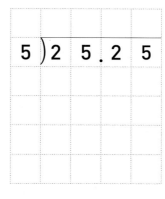

$$5 \overline{)2 \; 5 \; . \; 2 \; 5}$$

⑯

$$2 \overline{)1 \; 6 \; . \; 1 \; 4}$$

⑰

$$3 \overline{)2 \; 7 \; . \; 1 \; 5}$$

⑱

$$9 \overline{)1 \; 8 \; . \; 2 \; 7}$$

⑲ $14.42 \div 7 =$ ⬛ ◀

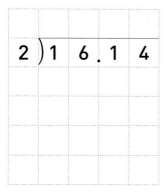

$$7 \overline{)1 \; 4 \; . \; 4 \; 2}$$

⑳ $45.81 \div 9 =$ ⬛ ◀

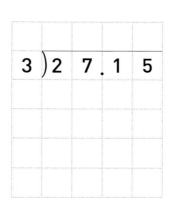

$$9 \overline{)4 \; 5 \; . \; 8 \; 1}$$

㉑ $56.64 \div 8 =$ ⬛ ◀

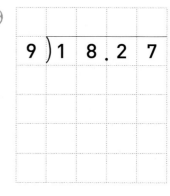

$$8 \overline{)5 \; 6 \; . \; 6 \; 4}$$

3

소수의 나눗셈 (2)

6 일차

몫의 소수 첫째 자리에 0이 있는 (소수)÷(자연수) ②

 계산해 보세요.

1 2)6.0 4

2 3)9.0 6

3 9)6 3.8 1

4 7)4 2.1 4

5 4)3 2.1 6

6 5)2 5.1 5

3

소수의 나눗셈 (2)

110

빈칸에 알맞은 소수를 써넣으세요.

7

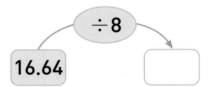
24.36 → ÷6 → □

8

16.64 → ÷8 → □

9

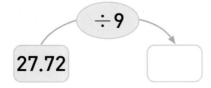
27.72 → ÷9 → □

10

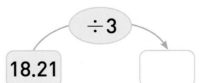
18.21 → ÷3 → □

생활 속 계산

🐻 음료수를 주어진 친구들과 똑같이 나누어 마시려고 합니다. 한 사람이 몇 L씩 마실 수 있는지 구하세요.

음료수				
음료수의 양	11.22 L	12.36 L	14.7 L	15.6 L

11   11명 ➡ ☐ L

12   12명 ➡ ☐ L

13   14명 ➡ ☐ L

14   15명 ➡ ☐ L

문장 읽고 계산식 세우기

15 후추 4.2 kg을 봉지 4개에 똑같이 나누어 담으려고 할 때 한 봉지당 몇 kg?

식 $4.2 \div 4 = $ ☐ (kg)

16 설탕 5.4 kg을 봉지 5개에 똑같이 나누어 담으려고 할 때 한 봉지당 몇 kg?

식 ☐ $\div 5 = $ ☐ (kg)

17 길이가 20.2 cm인 끈을 5도막으로 똑같이 나눌 때 한 도막은 몇 cm?

식 $20.2 \div$ ☐ $=$ ☐ (cm)

18 길이가 42.3 cm인 실을 6도막으로 똑같이 나눌 때 한 도막은 몇 cm?

식 ☐ $\div$ ☐ $=$ ☐ (cm)

(자연수)÷(자연수) ①

  이렇게 해결하자

• 분수의 나눗셈으로 바꾸어 계산하기

$$9 \div 2 = \frac{9}{2} = \frac{9 \times 5}{2 \times 5} = \frac{45}{10} = 4.5$$

몫을 분수로 나타낸 다음, 소수로 나타내요.

계산해 보세요.

① $11 \div 2 = \dfrac{\boxed{}}{2} = \dfrac{\boxed{} \times 5}{2 \times 5} = \dfrac{\boxed{}}{10} = \boxed{}$

② $13 \div 4 = \dfrac{\boxed{}}{4} = \dfrac{\boxed{} \times 25}{4 \times 25} = \dfrac{\boxed{}}{100} = \boxed{}$

③ $9 \div 5 = \dfrac{\boxed{}}{5} = \dfrac{\boxed{} \times 2}{5 \times 2} = \dfrac{\boxed{}}{10} = \boxed{}$

④ $34 \div 5 = \dfrac{\boxed{}}{5} = \dfrac{\boxed{} \times 2}{5 \times 2} = \dfrac{\boxed{}}{10} = \boxed{}$

⑤ $19 \div 4 = \dfrac{\boxed{}}{4} = \dfrac{\boxed{} \times 25}{4 \times 25} = \dfrac{\boxed{}}{100} = \boxed{}$

⑥ $3 \div 5 = \dfrac{\boxed{}}{5} = \dfrac{\boxed{} \times 2}{5 \times 2} = \dfrac{\boxed{}}{10} = \boxed{}$

⑦ $6 \div 25 = \dfrac{\boxed{}}{25} = \dfrac{\boxed{} \times 4}{25 \times 4} = \dfrac{\boxed{}}{100} = \boxed{}$

⑧ $9 \div 20 = \dfrac{\boxed{}}{20} = \dfrac{\boxed{} \times 5}{20 \times 5} = \dfrac{\boxed{}}{100} = \boxed{}$

⑨ $4 \div 25 = \dfrac{\boxed{}}{25} = \dfrac{\boxed{} \times 4}{25 \times 4} = \dfrac{\boxed{}}{100} = \boxed{}$

3

소수의 나눗셈 ⑵

113

⑩ $36 \div 48$

⑪ $5 \div 8$

⑫ $9 \div 50$

⑬ $12 \div 15$

⑭ $7 \div 25$

⑮ $3 \div 20$

⑯ $6 \div 16$

⑰ $18 \div 24$

(자연수)÷(자연수) ①

보기와 같이 계산해 보세요.

보기

$$76 \div 8 = \frac{76}{8} = \frac{19}{2} = \frac{19 \times 5}{2 \times 5} = \frac{95}{10} = 9.5$$

1 $42 \div 24$

2 $35 \div 40$

3 $20 \div 16$

4 $24 \div 15$

5 $27 \div 12$

6 $72 \div 16$

빈칸에 알맞은 소수를 써넣으세요.

7

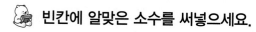

3 → ÷2 → ☐

8

42 → ÷5 → ☐

9

11 → ÷4 → ☐

10

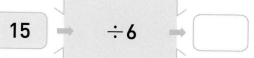

15 → ÷6 → ☐

생활 속 계산

주어진 리본 끈을 친구들이 똑같이 나누어 가졌을 때 한 명이 가진 리본 끈의 길이를 구하세요.

11

7 m

14명이 똑같이 나누었어요.

$7 \div 14 = \boxed{}$ (m)

12

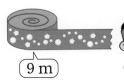

9 m

20명이 똑같이 나누었어요.

$9 \div 20 = \boxed{}$ (m)

13

12 m

8명이 똑같이 나누었어요.

$12 \div 8 = \boxed{}$ (m)

14

18 m

12명이 똑같이 나누었어요.

$18 \div 12 = \boxed{}$ (m)

문장 읽고 계산식 세우기

15 무게가 똑같은 멜론 5개의 무게가 11 kg일 때 멜론 한 개는 몇 kg?

식 $11 \div \boxed{} = \boxed{}$ (kg)

16 무게가 똑같은 수박 14개의 무게가 49 kg일 때 수박 한 개는 몇 kg?

식 $49 \div \boxed{} = \boxed{}$ (kg)

17 둘레가 10 cm인 정사각형의 한 변의 길이는 몇 cm?

식 $\boxed{} \div \boxed{} = \boxed{}$ (cm)

18 둘레가 27 cm인 정오각형의 한 변의 길이는 몇 cm?

식 $\boxed{} \div \boxed{} = \boxed{}$ (cm)

3 소수의 나눗셈 (2)

115

(자연수)÷(자연수) ②

• 세로로 계산하기

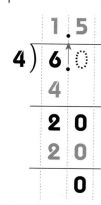

> 나머지가 0이 될 때까지
> 소수점 아래 0을 내려
> 계산해요.

계산해 보세요.

1

2) 7

2

2) 9

3

5) 6

4

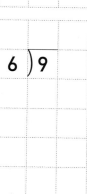

6) 9

5

5) 9

6

2) 5

7

5) 8

8

2) 3

9

5) 7

기초 계산 연습

⑩ 8) 1 2

⑪ 5) 1 6

⑫ 8) 7 6

⑬ 1 5) 1 8

⑭ 2 5) 8

⑮ 2 5) 3 5

⑯ 2 0) 1 1

⑰ 5 0) 1 8

⑱ 2 0) 1 3

⑲ 12 ÷ 48 = [   ]

4 8) 1 2

⑳ 18 ÷ 24 = [   ]

2 4) 1 8

(자연수)÷(자연수) ②

 계산하여 몫을 소수로 나타내어 보세요.

1 9÷4

2 12÷5

3 10÷4

4 33÷50

5 16÷20

6 26÷8

빈칸에 알맞은 소수를 써넣으세요.

7 14

÷8

8 15

÷12

9 27

÷25

10 19

÷20

생활 속 계산

🐻 주사위 2개를 동시에 던졌습니다. 왼쪽 주사위의 눈의 수는 오른쪽 주사위의 눈의 수의 몇 배인지 구하세요.

11

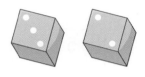

☐ ÷ 2 = ☐ (배)

12

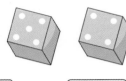

☐ ÷ 4 = ☐ (배)

13

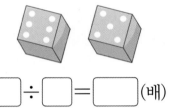

☐ ÷ ☐ = ☐ (배)

14

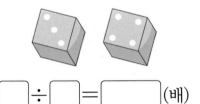

☐ ÷ ☐ = ☐ (배)

문장 읽고 계산식 세우기

15 우유 21 L를 14개의 통에 똑같이 나누어 담으면 한 통에 담는 우유는 몇 L?

식   ☐ ÷ 14 = ☐ (L)

16 주스 18 L를 15개의 통에 똑같이 나누어 담으면 한 통에 담는 주스는 몇 L?

식   ☐ ÷ 15 = ☐ (L)

17 둘레가 34 m인 원 모양의 연못에 4개의 말뚝을 일정한 간격으로 세울 때 말뚝과 말뚝 사이는 몇 m?

식   ☐ ÷ ☐ = ☐ (m)

18 둘레가 62 m인 원 모양의 호수에 8개의 깃발을 일정한 간격으로 세울 때 깃발과 깃발 사이는 몇 m?

식   ☐ ÷ ☐ = ☐ (m)

3

소수의 나눗셈 ⑵

119

🐻 계산해 보세요.

①
```
8 ) 2 . 9 6
```

②
```
5 ) 4 . 4 5
```

③
```
7 ) 5 . 8 1
```

④
```
6 ) 7 . 5
```

⑤
```
8 ) 9 . 2
```

⑥
```
4 ) 2 4 . 2
```

⑦
```
5 ) 2 0 . 3
```

⑧
```
1 5 ) 2 4
```

⑨
```
6 ) 1 5
```

⑩ $8.46 \div 9$

⑪ $7.3 \div 5$

⑫ $48.3 \div 6$

⑬ $43 \div 50$

🐻 빈칸에 알맞은 소수를 써넣으세요.

⑭ 2.92 ÷4

⑮ 1.68 ÷3

⑯ 3.45 ÷5

⑰ 7.5 ÷2

⑱ 11.1 ÷6

⑲ 10.8 ÷8

⑳ 8.12 ÷4

㉑ 9.21 ÷3

㉒ 7.28 ÷7

㉓ 10 ÷16

㉔ 13 ÷4

㉕ 15 ÷2

3

소수의 나눗셈 (2)

121

제한 시간 안에 정확하게
모두 풀었다면 여러분은 진정한 **계산왕!**

문장제 문제 도전하기

1   5.13÷9 = ☐   →   원숭이의 몸무게는 돼지의 몸무게의 몇 배일까요?

이 나눗셈식이 실생활에서 어떤 상황에 이용될까요?

5.13 kg   9 kg

식   ☐ ÷ ☐ = ☐

답 _____ 배

2   43.8÷5 = ☐   →   판다의 몸무게는 펭귄의 몸무게의 몇 배일까요?

43.8 kg   5 kg

식   ☐ ÷ ☐ = ☐

답 _____ 배

3   14.21÷7 = ☐   →   강아지의 몸무게는 여우의 몸무게의 몇 배일까요?

14.21 kg   7 kg

식   ☐ ÷ ☐ = ☐

답 _____ 배

▶ 정답과 해설 **21쪽**

문장을 읽고 알맞은 나눗셈식을 세워 답을 구해 보자!

4 가 우주선의 무게는 나 우주선의 무게의 몇 배일까요?

2.82 t ÷ 3 t → □ ÷ □ = □ (배)

가　　나

5 다 우주선의 무게는 라 우주선의 무게의 몇 배일까요?

5.4 t ÷ 5 t → □ ÷ □ = □ (배)

다　　라

6 마 우주선의 무게는 바 우주선의 무게의 몇 배일까요?

19 t ÷ 4 t → □ ÷ □ = □ (배)

마　　바

창의·융합·코딩·도전하기

누구의 몫이 더 클까?

 엘리와 호야가 뽑은 수 카드를 보고 나눗셈의 몫을 구하여 게임에서 이긴 사람을 알아보세요.

엘리가 뽑은 수 카드: 27.15 , 3

호야가 뽑은 수 카드: 45.4 , 5

 엘리 식 **27.15 ÷ ⬚ = ⬚**

답 _____

호야 식 **45.4 ÷ ⬚ = ⬚**

답 _____

엘리와 호야 중 게임에서 이긴
사람은 ⬚ 입니다.

안의 수를 주어진 방법으로 계산한 결과를 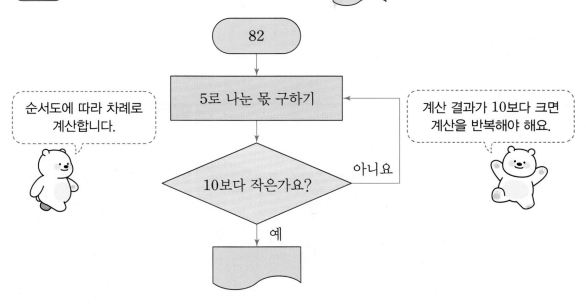 안에 써넣으세요.

82

5로 나눈 몫 구하기

순서도에 따라 차례로 계산합니다.

10보다 작은가요?

아니요

계산 결과가 10보다 크면 계산을 반복해야 해요.

예

 수 카드 4장이 들어 있는 주머니에서 3장을 꺼내어 한 번씩만 사용하여 몫이 가장 큰 나눗셈식 (소수 한 자리 수)÷(자연수)를 만들고 계산해 보세요.

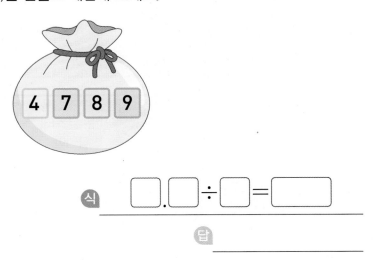

4 7 8 9

식 ☐.☐ ÷ ☐ = ☐

답 _____

비와 비율

네?! 라라가 사라졌다고요!!

일어나 보니 모닥불은 꺼져있고 라라는 보이지 않았어.

화장실에 간 것 아닐까요?

그런가?

선생님! 여기 몬스터의 흔적이 있어요!

아니, 이건!!

선생님! 왜 그러세요?

큰일이야!

아주 위험한 몬스터가 나타났다.

사람들의 정신을 홀려 꿈을 먹는 몬스터! 그 이름은 반디팽이 몬스터!

파지직

겉보기에는 귀엽게 보이지만 알고 보면 아주 무서운 몬스터야!

아......

이번에 배울 내용을 알아볼까요?

라라가 위험하잖아요! 어서 몬스터를 잡으러 가요!

서둘러요! 선생님!

성급히 나섰다간 우리도 위험해져.

몬스터를 잡기 위해선 먼저 비율에 대해 알아야 해!

기준량에 대한 비교하는 양의 크기를 비율이라고 해요.

응! 그리고 하나 더!

백분율도 알아야 한단다.

백분율은 또 뭐예요?

기준량을 100으로 할 때의 비율을 말해.

?

예를 들어 호야가 10마리의 몬스터를 사냥하여 3마리의 몬스터를 잡는 데 성공했다면

호야의 몬스터 사냥 성공률을 백분율로 나타내면 30 %지.

선생님! 제 사냥 실력이 그 정도밖에 안 된다는 말씀인가요!

진짜 네 실력은 아마 10 %도 안될 거야.

비 알아보기

- 비: 두 수를 나눗셈으로 비교하기 위해 기호 :을 사용하여 나타낸 것

3 : 5 →

비교하는 양 · · 기준량

┌ **3** 대 **5**
├ **3**과 **5**의 비
├ **3**의 **5**에 대한 비
└ **5**에 대한 **3**의 비

 그림을 보고 ▢ 안에 알맞은 수를 써넣으세요.

4

비와 비율

128

①

(1) 돌고래 수와 토끼 수의 비
→ ▢ : ▢

(2) 돌고래 수의 토끼 수에 대한 비
→ ▢ : ▢

②

(1) 토끼 수와 돌고래 수의 비
→ ▢ : ▢

(2) 돌고래 수의 토끼 수에 대한 비
→ ▢ : ▢

③

(1) 펭귄 수와 곰 수의 비
→ ▢ : ▢

(2) 펭귄 수에 대한 곰 수의 비
→ ▢ : ▢

④

(1) 펭귄 수와 곰 수의 비
→ ▢ : ▢

(2) 곰 수에 대한 펭귄 수의 비
→ ▢ : ▢

❺

수박 수와 귤 수의 비

→ ☐ : ☐

❻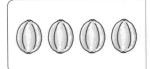

참외 수와 토마토 수의 비

→ ☐ : ☐

❼

딸기 수의 바나나 수에 대한 비

→ ☐ : ☐

❽

체리 수에 대한 파인애플 수의 비

→ ☐ : ☐

❾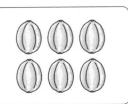

참외 수와 감 수의 비

→ ☐ : ☐

❿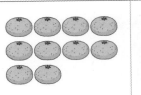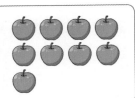

귤 수에 대한 사과 수의 비

→ ☐ : ☐

⓫

딸기 수에 대한 파인애플 수의 비

→ ☐ : ☐

⓬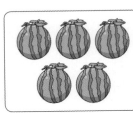

감 수의 수박 수에 대한 비

→ ☐ : ☐

4

비와 비율

129

비 알아보기

🐻 비를 여러 가지 방법으로 나타내려고 합니다. ☐ 안에 알맞은 수를 써넣으세요.

1

3 : 4

- 3 대 4
- 3과 ☐의 비
- 3의 ☐에 대한 비
- ☐에 대한 3의 비

2

5 : 8

- 5 대 8
- ☐와 8의 비
- ☐의 8에 대한 비
- 8에 대한 ☐의 비

3

1 : 6

- 1 대 6
- 1과 ☐의 비
- ☐의 6에 대한 비
- ☐에 대한 ☐의 비

4

7 : 9

- 7 대 9
- ☐과 9의 비
- ☐의 ☐에 대한 비
- 9에 대한 ☐의 비

🐻 ☐ 안에 알맞은 수를 써넣으세요.

5   8과 3의 비

➜ ☐ : ☐

6   4의 9에 대한 비

➜ ☐ : ☐

7   11에 대한 6의 비

➜ ☐ : ☐

8   7 대 10

➜ ☐ : ☐

9   12 대 13

➜ ☐ : ☐

10   5에 대한 14의 비

➜ ☐ : ☐

4

비와 비율

생활 속 문제

🐻 색종이를 오려 만든 도형을 보고 알맞은 비로 나타내어 보세요.

11

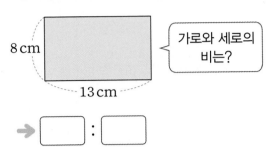

8 cm

13 cm

가로와 세로의 비는?

→ ☐ : ☐

12

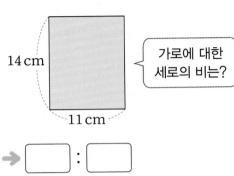

14 cm

11 cm

가로에 대한 세로의 비는?

→ ☐ : ☐

13

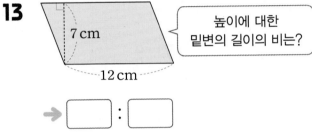

7 cm

12 cm

높이에 대한 밑변의 길이의 비는?

→ ☐ : ☐

14

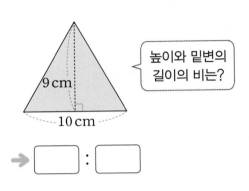

9 cm

10 cm

높이와 밑변의 길이의 비는?

→ ☐ : ☐

4

비와 비율

131

문장 읽고 문제 해결하기

15 가로가 13 cm, 세로가 15 cm인 직사각형에서 가로의 세로에 대한 비는?

☐ : ☐

16 밑변의 길이가 17 cm, 높이가 10 cm인 삼각형에서 밑변의 길이와 높이의 비는?

☐ : ☐

17 감자 6개, 호박 11개일 때 감자 수에 대한 호박 수의 비는?

☐ : ☐

18 당근 14개, 오이 9개일 때 오이 수와 당근 수의 비는?

☐ : ☐

비율을 분수로 나타내기

이렇게 해결하자

- 3 : 5의 비율을 분수로 나타내기

$$(\text{비율}) = \frac{(\text{비교하는 양})}{(\text{기준량})}$$

기준량에 대한 비교하는 양의 크기를 비율이라고 해요.

비율을 분수로 나타낼 때 기준량은 분모, 비교하는 양은 분자가 돼요.

$$3 : 5 \ \Rightarrow \ (\text{비율}) = \frac{3}{5}$$

비를 보고 기준량과 비교하는 양을 각각 찾아 ⬭ 안에 알맞은 수를 써넣으세요.

4

비와 비율

① 5 : 6

기준량: ☐ , 비교하는 양: ☐

➡ (비율) = ☐/☐

② 7 : 9

기준량: ☐ , 비교하는 양: ☐

➡ (비율) = ☐/☐

③ 8의 13에 대한 비

기준량: ☐ , 비교하는 양: ☐

➡ (비율) = ☐/☐

④ 14와 19의 비

기준량: ☐ , 비교하는 양: ☐

➡ (비율) = ☐/☐

⑤ 12와 17의 비

기준량: ☐ , 비교하는 양: ☐

➡ (비율) = ☐/☐

⑥ 16에 대한 9의 비

기준량: ☐ , 비교하는 양: ☐

➡ (비율) = ☐/☐

비율을 분수로 나타내어 보세요.

7 2 : 7

→

8 13 대 20

→

9 12에 대한 5의 비

→

10 5와 8의 비

→

11 9와 16의 비

→

12 2 대 9

→

13 3의 10에 대한 비

→

14 14에 대한 9의 비

→

15 11에 대한 8의 비

→

16 8과 9의 비

→

17 7의 12에 대한 비

→

18 16 대 21

→

19 15에 대한 11의 비

→

20 10과 19의 비

→

21 13의 25에 대한 비

→

4

비
와
비
율

133

비율을 분수로 나타내기

🐻 빈칸에 알맞은 기약분수를 써넣으세요.

1

비	비율
3 : 10	

2

비	비율
5 대 15	

3

비	비율
4의 11에 대한 비	

4

비	비율
16에 대한 14의 비	

5

비	비율
8 대 3	

6

비	비율
10과 17의 비	

4

비와 비율

🐻 그림을 보고 전체에 대한 색칠한 부분의 비율을 기약분수로 나타내어 보세요.

7

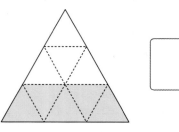

8

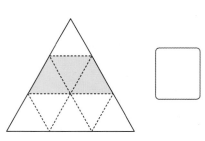

9

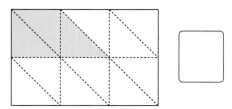

10

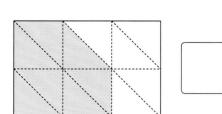

플러스 계산 연습

생활 속 문제

 음식의 수를 세어 비율을 기약분수로 나타내어 보세요.

11 수와 수의 비

→ [　　　]

12 수의 수에 대한 비

→ [　　　]

13 수에 대한 수의 비

→ [　　　]

14 수와 수의 비

→ [　　　]

문장 읽고 문제 해결하기

15 남학생 11명, 여학생 14명일 때 남학생 수와 여학생 수의 비율을 분수로 나타내면?

[　　　]

16 남학생 17명, 여학생 12명일 때 남학생 수에 대한 여학생 수의 비율을 분수로 나타내면?

[　　　]

비율을 소수로 나타내기

• 3 : 5의 비율을 소수로 나타내기

$$3 : 5 \;\Rightarrow\; (비율) = \frac{3}{5} = \frac{6}{10} = 0.6$$

비율을 분수로 나타내고 분모를 10으로 바꾸어 소수로 나타내요.

비율을 소수로 나타내려고 합니다. ◯ 안에 알맞은 수를 써넣으세요.

① 1 : 2

$\Rightarrow (비율) = \dfrac{\boxed{}}{2} = \dfrac{\boxed{}}{10} = \boxed{}$

② 7 : 20

$\Rightarrow (비율) = \dfrac{\boxed{}}{20} = \dfrac{\boxed{}}{100} = \boxed{}$

③ 9와 10의 비

$\boxed{} : 10$

$\Rightarrow (비율) = \dfrac{\boxed{}}{10} = \boxed{}$

④ 25에 대한 6의 비

$6 : \boxed{}$

$\Rightarrow (비율) = \dfrac{\boxed{}}{25} = \dfrac{\boxed{}}{100} = \boxed{}$

⑤ 5 대 4

$\boxed{} : \boxed{}$

$\Rightarrow (비율) = \dfrac{\boxed{}}{4} = \dfrac{\boxed{}}{100}$

$= \boxed{}$

⑥ 3의 8에 대한 비

$\boxed{} : \boxed{}$

$\Rightarrow (비율) = \dfrac{\boxed{}}{8} = \dfrac{\boxed{}}{1000}$

$= \boxed{}$

비율을 소수로 나타내어 보세요.

7 4 : 10

→ [ ]

8 13 : 20

→ [ ]

비율을 분모가 10, 100, 1000인 분수로 바꾸어 소수로 나타내요.

9 17 대 100

→ [ ]

10 5와 8의 비

→ [ ]

11 4에 대한 3의 비

→ [ ]

12 25에 대한 9의 비

→ [ ]

13 9의 100에 대한 비

→ [ ]

14 11의 50에 대한 비

→ [ ]

15 8과 25의 비

→ [ ]

16 5 대 2

→ [ ]

17 7의 4에 대한 비

→ [ ]

18 6의 125에 대한 비

→ [ ]

19 63과 50의 비

→ [ ]

20 20에 대한 33의 비

→ [ ]

비와 비율

4

비율을 소수로 나타내기

🐻 빈칸에 알맞은 소수를 써넣으세요.

1

비	비율
4 : 5	

2

비	비율
7 대 8	

3

비	비율
11과 25의 비	

4

비	비율
16에 대한 10의 비	

5

비	비율
13의 20에 대한 비	

6

비	비율
9와 5의 비	

🐻 그림을 보고 전체에 대한 색칠한 부분의 비율을 소수로 나타내어 보세요.

7

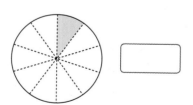

8

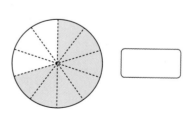

9

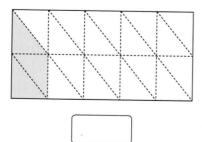

10

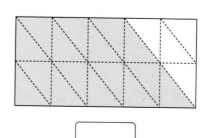

비
와
비
율

생활 속 문제

🐻 학용품 수를 보고 비율을 소수로 나타내어 보세요.

50개	25개	3개	21개	8개	20개

11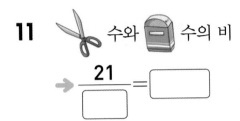

$$\frac{21}{\boxed{}} = \boxed{}$$

12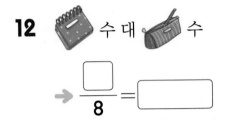

$$\frac{\boxed{}}{8} = \boxed{}$$

13 ✂ 수의 ⊙ 수에 대한 비

$$\frac{21}{\boxed{}} = \boxed{}$$

14 수에 대한 수의 비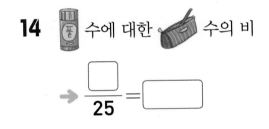

$$\frac{\boxed{}}{25} = \boxed{}$$

15 수에 대한 수의 비

$$\frac{\boxed{}}{\boxed{}} = \boxed{}$$

16 수와 수의 비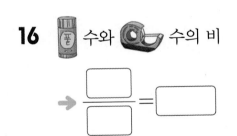

$$\frac{\boxed{}}{\boxed{}} = \boxed{}$$

문장 읽고 문제 해결하기

17 식용유 200 mL, 참기름 83 mL가 있을 때 참기름 양과 식용유 양의 비율을 소수로 나타내면?

$$\frac{\boxed{}}{200} = \boxed{}$$

18 간장 25 mL, 식초 18 mL가 있을 때 간장 양에 대한 식초 양의 비율을 소수로 나타내면?

$$\frac{18}{\boxed{}} = \boxed{}$$

비교하는 양 구하기

이렇게 해결하자

- 비율이 분수일 때 비교하는 양 구하기

  비율: $\frac{1}{2}$, 기준량: 8

  (비교하는 양)＝(기준량)×(비율)
  $$=8\times\frac{1}{2}=4$$

- 비율이 소수일 때 비교하는 양 구하기

  비율: 0.4, 기준량: 15

  (비교하는 양)＝(기준량)×(비율)
  $$=15\times0.4=6$$

비율과 기준량을 보고 비교하는 양을 구하세요.

❶ 비율: $\frac{1}{4}$, 기준량: 12

$$12\times\frac{\Box}{\Box}=\Box$$

❷ 비율: $\frac{5}{7}$, 기준량: 28

$$\Box\times\frac{5}{7}=\Box$$

❸ 비율: $\frac{4}{3}$, 기준량: 24

$$\Box\times\frac{\Box}{\Box}=\Box$$

❹ 비율: $\frac{7}{8}$, 기준량: 40

$$\Box\times\frac{\Box}{\Box}=\Box$$

❺ 비율: 0.3, 기준량: 20

$$20\times\Box=\Box$$

❻ 비율: 0.6, 기준량: 35

$$\Box\times0.6=\Box$$

❼ 비율: 1.5, 기준량: 8

$$\Box\times\Box=\Box$$

❽ 비율: 0.26, 기준량: 50

$$\Box\times\Box=\Box$$

비와 비율

❾ 비율: $\dfrac{2}{5}$, 기준량: 10

❿ 비율: $\dfrac{3}{4}$, 기준량: 16

⓫ 비율: $\dfrac{3}{8}$, 기준량: 24

⓬ 비율: $\dfrac{9}{10}$, 기준량: 40

⓭ 비율: $\dfrac{9}{7}$, 기준량: 56

⓮ 비율: $\dfrac{11}{6}$, 기준량: 42

⓯ 비율: 0.2, 기준량: 15

⓰ 비율: 0.4, 기준량: 35

⓱ 비율: 0.7, 기준량: 30

⓲ 비율: 0.25, 기준량: 8

⓳ 비율: 0.75, 기준량: 12

⓴ 비율: 1.8, 기준량: 20

4 일차

비교하는 양 구하기

🐻 빈칸에 알맞은 수를 써넣으세요.

1

비율	비교하는 양	기준량
$\dfrac{5}{6}$		30

2

비율	비교하는 양	기준량
$\dfrac{8}{19}$		114

3

비율	비교하는 양	기준량
0.8		45

4

비율	비교하는 양	기준량
0.52		25

🐻 보기 와 같이 ◯ 안에 알맞은 수를 써넣으세요.

보기

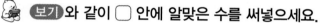

100원의 $\dfrac{2}{5}$는 $\boxed{40}$ 원

┗ 기준량   ┗ 비율   ┗ 비교하는 양

5 200원의 $\dfrac{1}{2}$은 ⬜ 원

6 400원의 $\dfrac{5}{8}$는 ⬜ 원

7 700원의 $\dfrac{9}{35}$는 ⬜ 원

8 300원의 0.2는 ⬜ 원

9 600원의 0.5는 ⬜ 원

10 800원의 0.6은 ⬜ 원

11 500원의 0.72는 ⬜ 원

4

비와 비율

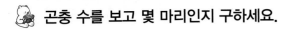 플러스 계산 연습

생활 속 계산

🐻 곤충 수를 보고 몇 마리인지 구하세요.

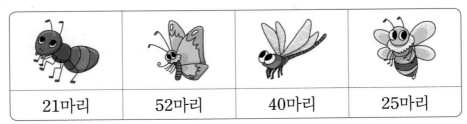

21마리	52마리	40마리	25마리

12 개미 수의 $\dfrac{5}{7}$는?

$21 \times \dfrac{5}{7} = \boxed{}$ (마리)

13 나비 수의 $\dfrac{6}{13}$은?

$\boxed{} \times \dfrac{6}{13} = \boxed{}$ (마리)

14 잠자리 수의 0.9는?

$40 \times 0.9 = \boxed{}$ (마리)

15 꿀벌 수의 0.76은?

$\boxed{} \times 0.76 = \boxed{}$ (마리)

문장 읽고 계산식 세우기

16 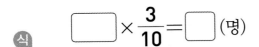 30명의 $\dfrac{3}{10}$은 몇 명?

식　$\boxed{} \times \dfrac{3}{10} = \boxed{}$ (명)

17 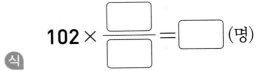 102명의 $\dfrac{12}{17}$는 몇 명?

식　$102 \times \dfrac{\boxed{}}{\boxed{}} = \boxed{}$ (명)

18 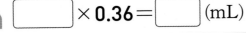 250 mL의 0.36은 몇 mL?

식　$\boxed{} \times 0.36 = \boxed{}$ (mL)

19 200 mL의 0.225는 몇 mL?

식　$200 \times \boxed{} = \boxed{}$ (mL)

기준량 구하기

이렇게 해결하자

• 비율이 분수일 때 기준량 구하기

비율: $\frac{2}{3}$, 비교하는 양: 6

$$\frac{2}{3} = \frac{6}{(기준량)}$$

$\times 3$

→ (기준량) $= 3 \times 3 = 9$

• 비율이 소수일 때 기준량 구하기

비율: 0.3, 비교하는 양: 6

$0.3 = \frac{3}{10}$ 이므로 $\frac{3}{10} = \frac{6}{(기준량)}$

$\times 2$

→ (기준량) $= 10 \times 2 = 20$

비율과 비교하는 양을 보고 기준량(■)을 구하세요.

① 비율: $\frac{4}{9}$, 비교하는 양: 4

$\frac{4}{9} = \frac{4}{■}$ → ■ $= \boxed{}$

② 비율: $\frac{3}{7}$, 비교하는 양: 6

$\frac{3}{7} = \frac{6}{■}$ → ■ $= 7 \times \boxed{} = \boxed{}$

③ 비율: 0.6, 비교하는 양: 3

$0.6 = \frac{6}{10} = \frac{3}{5}$ 이므로

$\frac{3}{5} = \frac{3}{■}$ → ■ $= \boxed{}$

④ 비율: 0.32, 비교하는 양: 8

$0.32 = \frac{32}{100} = \frac{8}{25}$ 이므로

$\frac{\boxed{}}{25} = \frac{8}{■}$ → ■ $= \boxed{}$

⑤ 비율: 0.7, 비교하는 양: 21

$0.7 = \frac{7}{10}$ 이므로 $\frac{7}{10} = \frac{21}{■}$

→ ■ $= 10 \times \boxed{} = \boxed{}$

⑥ 비율: 1.3, 비교하는 양: 26

$1.3 = \frac{13}{10}$ 이므로 $\frac{13}{10} = \frac{26}{■}$

→ ■ $= 10 \times \boxed{} = \boxed{}$

비율과 비교하는 양을 보고 기준량을 구하세요.

7 비율: $\dfrac{1}{6}$, 비교하는 양: 6

8 비율: $\dfrac{3}{4}$, 비교하는 양: 15

9 비율: $\dfrac{7}{12}$, 비교하는 양: 28

10 비율: $\dfrac{7}{8}$, 비교하는 양: 14

11 비율: $\dfrac{9}{16}$, 비교하는 양: 54

12 비율: $\dfrac{8}{5}$, 비교하는 양: 24

13 비율: 0.2, 비교하는 양: 2

14 비율: 0.8, 비교하는 양: 16

15 비율: 0.16, 비교하는 양: 4

16 비율: 0.25, 비교하는 양: 9

17 비율: 0.375, 비교하는 양: 3

18 비율: 1.15, 비교하는 양: 46

기준량 구하기

빈칸에 알맞은 수를 써넣으세요.

1

비율	비교하는 양	기준량
$\dfrac{3}{4}$	21	

2

비율	비교하는 양	기준량
$\dfrac{6}{11}$	24	

3

비율	비교하는 양	기준량
0.9	27	

4

비율	비교하는 양	기준량
0.625	20	

보기 와 같이 ◯ 안에 알맞은 수를 써넣으세요.

보기

$\boxed{20}$ 개의 $\dfrac{3}{5}$ 은 **12**개

└→ 기준량   └→ 비율   └→ 비교하는 양

5 ◻ 개의 $\dfrac{3}{8}$ 은 **9**개

6 ◻ 개의 $\dfrac{2}{9}$ 는 **16**개

7 ◻ 개의 $\dfrac{5}{12}$ 는 **15**개

8 ◻ 개의 **0.4**는 **18**개

9 ◻ 개의 **0.2**는 **3**개

10 ◻ 개의 **0.68**은 **34**개

11 ◻ 개의 **0.35**는 **14**개

생활 속 문제

 젖소의 무게는 몇 kg인지 구하세요.

12 내 무게의 0.1은 60 kg이에요.

[   ] kg

13  내 무게의 0.7은 560 kg이에요.

[   ] kg

14  내 무게의 0.16은 120 kg이에요.

[   ] kg

15 내 무게의 0.25는 225 kg이에요.

[   ] kg

문장 읽고 문제 해결하기

16 ■명의 $\frac{5}{8}$가 25명일 때, ■는?

$$\frac{5}{8} = \frac{25}{■} \quad \rightarrow \quad ■ = [\quad]$$

17 ■명의 $\frac{13}{40}$이 91명일 때, ■는?

$$\frac{13}{40} = \frac{91}{■} \quad \rightarrow \quad ■ = [\quad]$$

18 ▲원의 $\frac{3}{20}$이 60원일 때, ▲는?

$$\frac{3}{20} = \frac{60}{▲} \quad \rightarrow \quad ▲ = [\quad]$$

19 ▲원의 $\frac{9}{32}$가 450원일 때, ▲는?

$$\frac{9}{32} = \frac{[\quad]}{▲} \quad \rightarrow \quad ▲ = [\quad]$$

비율이 사용되는 경우

이렇게 해결하자

• 걸린 시간에 대한 간 거리의 비율 구하기	• 넓이에 대한 인구의 비율 구하기	• 흰색 물감 양에 대한 검은색 물감 양의 비율 구하기
간 거리: 70 km 걸린 시간: 2시간	인구: 900명 넓이: 3 km²	검은색 물감 양: 3 mL 흰색 물감 양: 100 mL
→ $\dfrac{70}{2} = 35$	→ $\dfrac{900}{3} = 300$	→ $\dfrac{3}{100} = 0.03$

 걸린 시간에 대한 간 거리의 비율을 구하세요.

①
간 거리: 240 km
걸린 시간: 3시간

→ $\dfrac{240}{3} = \boxed{}$

②
간 거리: 128 km
걸린 시간: 2시간

→ $\dfrac{128}{2} = \boxed{}$

③
간 거리: 325 km
걸린 시간: 5시간

→ $\dfrac{\boxed{}}{5} = \boxed{}$

④
간 거리: 630 km
걸린 시간: 7시간

→ $\dfrac{\boxed{}}{7} = \boxed{}$

⑤
간 거리: 1060 km
걸린 시간: 10시간

→ $\dfrac{\boxed{}}{\boxed{}} = \boxed{}$

⑥
간 거리: 480 km
걸린 시간: 12시간

→ $\dfrac{\boxed{}}{\boxed{}} = \boxed{}$

넓이에 대한 인구의 비율을 구하세요.

7
인구: 320명
넓이: 4 km²

→ $\dfrac{320}{4} = \boxed{}$

8
인구: 1170명
넓이: 9 km²

→ $\dfrac{1170}{9} = \boxed{}$

9
인구: 2600명
넓이: 13 km²

→ $\dfrac{\boxed{}}{13} = \boxed{}$

10
인구: 8000명
넓이: 25 km²

→ $\dfrac{\boxed{}}{\boxed{}} = \boxed{}$

흰색 물감 양에 대한 검은색 물감 양의 비율을 소수로 나타내어 보세요.

11
검은색 물감 양: 9 mL
흰색 물감 양: 100 mL

→ $\dfrac{9}{100} = \boxed{}$

12
검은색 물감 양: 15 mL
흰색 물감 양: 150 mL

→ $\dfrac{15}{150} = \boxed{}$

13
검은색 물감 양: 40 mL
흰색 물감 양: 200 mL

→ $\dfrac{\boxed{}}{200} = \boxed{}$

14
검은색 물감 양: 25 mL
흰색 물감 양: 500 mL

→ $\dfrac{\boxed{}}{\boxed{}} = \boxed{}$

4

비
와
비
율

149

비율이 사용되는 경우

 보기 와 같이 포도주스 양에 대한 포도 원액 양의 비율을 구하세요.

보기

포도주스 양: 150 mL
포도 원액 양: 60 mL

→ $\dfrac{60}{150} = 0.4$

1

포도주스 양: 120 mL
포도 원액 양: 30 mL

→ _____

2

포도주스 양: 200 mL
포도 원액 양: 120 mL

→ _____

3

포도주스 양: 250 mL
포도 원액 양: 105 mL

→ _____

걸린 시간에 대한 간 거리의 비율을 자연수로 나타내어 보세요.

4

간 거리(km)	걸린 시간(시간)
300	4

5

간 거리(km)	걸린 시간(시간)
720	6

6

간 거리(km)	걸린 시간(시간)
585	9

7

간 거리(km)	걸린 시간(시간)
611	13

생활 속 문제

우리나라 도시의 인구와 넓이입니다. 각 도시의 넓이에 대한 인구의 비율을 자연수로 나타내어 보세요.

(출처: 통계청, 2020년)

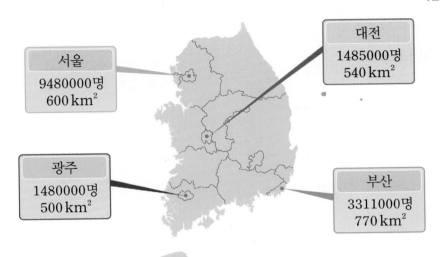

대전
1485000명
540 km²

서울
9480000명
600 km²

광주
1480000명
500 km²

부산
3311000명
770 km²

8 서울 ➡ ☐

9 광주 ➡ ☐

10 부산 ➡ ☐

11 대전 ➡ ☐

문장 읽고 문제 해결하기

12 파란색 물감 40 mL에 대한 빨간색 물감 28 mL의 비율을 소수로 나타내면?

$$\frac{\boxed{}}{40} = \boxed{}$$

13 노란색 물감 150 mL에 대한 파란색 물감 27 mL의 비율을 소수로 나타내면?

$$\frac{\boxed{}}{\boxed{}} = \boxed{}$$

비율을 백분율로 나타내기

- **백분율**: 기준량을 100으로 할 때의 비율, 기호 % (퍼센트)를 사용함

- $\dfrac{1}{2}$ 을 백분율로 나타내기

$$\dfrac{1}{2} \times 100 = 50 \rightarrow 50\%$$

비율에 100을 곱해서 나온 값에 %를 붙여요.

 비율을 백분율로 나타내어 보세요.

❶ $\dfrac{33}{100}$

→ $\dfrac{33}{100} \times 100 = \boxed{}$ (%)

❷ $\dfrac{29}{50}$

→ $\dfrac{29}{50} \times 100 = \boxed{}$ (%)

❸ $\dfrac{7}{20}$

→ $\dfrac{7}{20} \times \boxed{} = \boxed{}$ (%)

❹ $\dfrac{16}{25}$

→ $\dfrac{16}{25} \times \boxed{} = \boxed{}$ (%)

❺ 0.4

→ $0.4 \times 100 = \boxed{}$ (%)

❻ 0.7

→ $0.7 \times \boxed{} = \boxed{}$ (%)

❼ 0.57

→ $0.57 \times \boxed{} = \boxed{}$ (%)

❽ 1.29

→ $1.29 \times \boxed{} = \boxed{}$ (%)

4

비와 비율

기초 계산 연습

9 $\dfrac{19}{100}$ → ☐ %

10 $\dfrac{9}{10}$ → ☐ %

11 $\dfrac{4}{5}$ → ☐ %

12 $\dfrac{1}{4}$ → ☐ %

13 $\dfrac{21}{25}$ → ☐ %

14 $\dfrac{37}{50}$ → ☐ %

15 0.6 → ☐ %

16 0.12 → ☐ %

17 0.73 → ☐ %

18 0.52 → ☐ %

19 1.45 → ☐ %

20 1.8 → ☐ %

비율을 백분율로 나타내기

🐻 빈칸에 알맞은 수를 써넣으세요.

1

기약분수	소수	백분율(%)
$\frac{1}{25}$	0.04	

2

기약분수	소수	백분율(%)
$\frac{23}{50}$	0.46	

3

기약분수	소수	백분율(%)
$\frac{3}{8}$		

4

기약분수	소수	백분율(%)
$\frac{17}{20}$		

5

기약분수	소수	백분율(%)
	0.8	

6

기약분수	소수	백분율(%)
	0.91	

🐻 전체에 대한 색칠한 부분의 비율을 백분율로 나타내어 보세요.

7

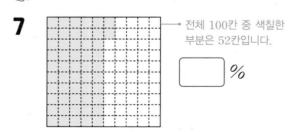

전체 100칸 중 색칠한
부분은 52칸입니다.

[　　] %

8

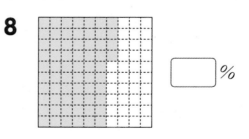

[　　] %

9

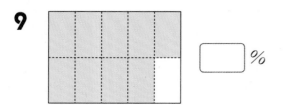

[　　] %

10

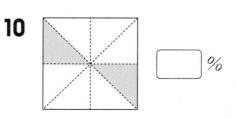

[　　] %

생활 속 계산

🐻 전체 빵 수에 대한 각 빵의 수의 비율을 백분율로 나타내어 보세요.

빵					합계
개수(개)	7	10	25	8	50

11  → ☐ %

12 → ☐ %

13  → ☐ %

14 → ☐ %

4

비
와
비
율

155

문장 읽고 계산식 세우기

15
과일 30개 중 귤이 9개일 때 전체 과일 수에 대한 귤 수의 비율을 백분율로 나타내면?

식 $\dfrac{9}{30} \times 100 =$ ☐ (%)

16
과일 40개 중 감이 14개일 때 전체 과일 수에 대한 감 수의 비율을 백분율로 나타내면?

식 $\dfrac{14}{40} \times 100 =$ ☐ (%)

17
학생 200명 중 남학생이 118명일 때 전체 학생 수에 대한 남학생 수의 비율을 백분율로 나타내면?

식 $\dfrac{☐}{☐} \times 100 =$ ☐ (%)

18
학생 300명 중 여학생이 192명일 때 전체 학생 수에 대한 여학생 수의 비율을 백분율로 나타내면?

식 $\dfrac{☐}{☐} \times 100 =$ ☐ (%)

백분율을 분수나 소수로 나타내기

• 35 %를 분수로 나타내기

$$35\% \rightarrow \frac{35}{100} = \frac{7}{20}$$

기약분수로 나타냅니다.

• 35 %를 소수로 나타내기

$$35\% \rightarrow \frac{35}{100} = 0.35$$

 백분율을 기약분수로 나타내어 보세요.

❶ 3 % → $\dfrac{\boxed{}}{100}$

❷ 20 % → $\dfrac{\boxed{}}{100} = \dfrac{\boxed{}}{5}$

❸ 38 % → $\dfrac{\boxed{}}{100} = \dfrac{\boxed{}}{\boxed{}}$

❹ 92 % → $\dfrac{\boxed{}}{100} = \dfrac{\boxed{}}{\boxed{}}$

❺ 52 % → $\dfrac{\boxed{}}{100} = \dfrac{\boxed{}}{\boxed{}}$

❻ 85 % → $\dfrac{\boxed{}}{100} = \dfrac{\boxed{}}{\boxed{}}$

 백분율을 소수로 나타내어 보세요.

❼ 4 % → $\dfrac{4}{100} = \boxed{}$

❽ 57 % → $\dfrac{57}{100} = \boxed{}$

❾ 69 % → $\dfrac{\boxed{}}{100} = \boxed{}$

❿ 99 % → $\dfrac{\boxed{}}{100} = \boxed{}$

⓫ 102 % → $\dfrac{\boxed{}}{100} = \boxed{}$

⓬ 137 % → $\dfrac{\boxed{}}{100} = \boxed{}$

🐻 백분율을 기약분수로 나타내어 보세요.

⑬ 7 % →

⑭ 11 % →

⑮ 15 % →

⑯ 22 % →

⑰ 56 % →

⑱ 75 % →

⑲ 63 % →

⑳ 94 % →

🐻 백분율을 소수로 나타내어 보세요.

㉑ 5 % →

㉒ 13 % →

㉓ 21 % →

㉔ 30 % →

㉕ 49 % →

㉖ 184 % →

㉗ 140 % →

㉘ 78 % →

4

비와 비율

157

백분율을 분수나 소수로 나타내기

🐻 관계있는 것끼리 선으로 이어 보세요.

1

6 %	36 %	60 %

$\dfrac{9}{25}$	$\dfrac{3}{50}$	$\dfrac{3}{5}$

0.6	0.06	0.36

2

52 %	29 %	95 %

$\dfrac{19}{20}$	$\dfrac{13}{25}$	$\dfrac{29}{100}$

0.95	0.29	0.52

🐻 백분율을 소수로 나타내어 ◯ 안에 써넣고, 기약분수로 나타내어 ◇ 안에 써넣으세요.

3 ◯ ← 17 % → ◇

4 ◯ ← 8 % → ◇

5 ◯ ← 30 % → ◇

6 ◯ ← 45 % → ◇

7 ◯ ← 69 % → ◇

8 ◯ ← 125 % → ◇

생활 속 문제

전체 밭의 넓이에 대한 채소를 심을 밭의 넓이를 백분율로 나타낸 것입니다. 채소를 심을 밭의 넓이만큼 색칠하세요.

9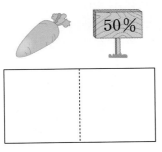

10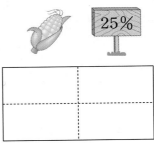

11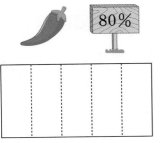

12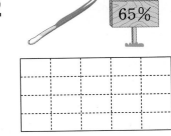

문장 읽고 문제 해결하기

13   24 %를 기약분수로 나타내면?

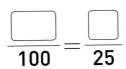

$$\frac{\boxed{}}{100} = \frac{\boxed{}}{25}$$

14   55 %를 기약분수로 나타내면?

$$\frac{\boxed{}}{100} = \frac{\boxed{}}{\boxed{}}$$

15   86 %를 소수로 나타내면?

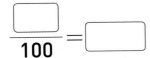

$$\frac{\boxed{}}{100} = \boxed{}$$

16   119 %를 소수로 나타내면?

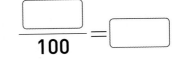

$$\frac{\boxed{}}{100} = \boxed{}$$

4

비와 비율

159

백분율이 사용되는 경우

이렇게 해결하자

• 할인율 구하기	• 득표율 구하기	• 소금물의 진하기 구하기

원래 가격: 1000원
할인 금액: 200원

→ $\dfrac{200}{1000} \times 100$
$= 20\,(\%)$

전체 투표 수: 50표
득표 수: 12표

→ $\dfrac{12}{50} \times 100$
$= 24\,(\%)$

소금물 양: 200 g
소금 양: 8 g

→ $\dfrac{8}{200} \times 100$
$= 4\,(\%)$

4

비와 비율

할인율은 몇 %인지 구하세요.

1
원래 가격: 500원
할인 금액: 50원

→ $\dfrac{50}{500} \times 100 = \boxed{}\,(\%)$

$(할인율) = \dfrac{(할인\ 금액)}{(원래\ 가격)} \times 100\,(\%)$

2
원래 가격: 1500원
할인 금액: 450원

→ $\dfrac{\boxed{}}{1500} \times 100 = \boxed{}\,(\%)$

3
원래 가격: 4000원
할인 금액: 600원

→ $\dfrac{\boxed{}}{4000} \times 100 = \boxed{}\,(\%)$

4
원래 가격: 5000원
할인 금액: 1300원

→ $\dfrac{\boxed{}}{\boxed{}} \times 100 = \boxed{}\,(\%)$

5
원래 가격: 7000원
할인 금액: 350원

→ $\dfrac{\boxed{}}{\boxed{}} \times 100 = \boxed{}\,(\%)$

$\dfrac{(득표 수)}{(전체 투표 수)} \times 100\,(\%)$

🐻 **득표율은 몇 %인지 구하세요.**

❻
전체 투표 수: 20표
득표 수: 14표

➡ $\dfrac{14}{20} \times 100 = \boxed{}$ (%)

❼
전체 투표 수: 80표
득표 수: 28표

➡ $\dfrac{\boxed{}}{80} \times 100 = \boxed{}$ (%)

❽
전체 투표 수: 200표
득표 수: 48표

➡ $\dfrac{\boxed{}}{\boxed{}} \times 100 = \boxed{}$ (%)

❾
전체 투표 수: 300표
득표 수: 51표

➡ $\dfrac{\boxed{}}{\boxed{}} \times 100 = \boxed{}$ (%)

$\dfrac{(소금 양)}{(소금물 양)} \times 100\,(\%)$

🐻 **소금물의 진하기는 몇 %인지 구하세요.**

❿
소금물 양: 150 g
소금 양: 9 g

➡ $\dfrac{9}{150} \times 100 = \boxed{}$ (%)

⓫
소금물 양: 250 g
소금 양: 80 g

➡ $\dfrac{\boxed{}}{250} \times 100 = \boxed{}$ (%)

⓬
소금물 양: 360 g
소금 양: 54 g

➡ $\dfrac{\boxed{}}{\boxed{}} \times 100 = \boxed{}$ (%)

⓭
소금물 양: 500 g
소금 양: 110 g

➡ $\dfrac{\boxed{}}{\boxed{}} \times 100 = \boxed{}$ (%)

4

비와 비율

161

백분율이 사용되는 경우

🐻 설탕물의 진하기는 몇 %인지 구하세요.

1
설탕물 양: 200 g
설탕 양: 30 g

[ ] %

2
설탕물 양: 250 g
설탕 양: 75 g

[ ] %

$$(\text{설탕물의 진하기}) = \frac{(\text{설탕 양})}{(\text{설탕물 양})} \times 100 \, (\%)$$

3
설탕물 양: 300 g
설탕 양: 75 g

[ ] %

4
설탕물 양: 700 g
설탕 양: 133 g

[ ] %

$$\frac{(\text{할인 금액})}{(\text{원래 가격})} \times 100 \, (\%)$$

🐻 보기 와 같이 할인율은 몇 %인지 구하세요.

보기

원래 가격(원)	판매 가격(원)	할인 금액(원)
1000	700	300

$1000 - 700 = 300$

$$\frac{300}{1000} \times 100 = 30 \, (\%)$$

5

원래 가격(원)	판매 가격(원)	할인 금액(원)
2000	1600	

$$\frac{\boxed{}}{2000} \times 100 = \boxed{} \, (\%)$$

6

원래 가격(원)	판매 가격(원)	할인 금액(원)
12000	7200	

➡ _____

7

원래 가격(원)	판매 가격(원)	할인 금액(원)
16000	10400	

➡ _____

생활 속 계산

🐻 주혁이가 여러 가지 과일청을 물과 섞어 과일차를 만들었습니다. 과일차 양에 대한 과일청 양의 비율은 몇 %인지 구하세요.

8

키위청 양: 90 g
키위차 양: 300 g

□ %

9

오렌지청 양: 162 g
오렌지차 양: 360 g

□ %

10

체리청 양: 112 g
체리차 양: 280 g

□ %

11

딸기청 양: 50 g
딸기차 양: 250 g

□ %

문장 읽고 계산식 세우기

12 축구공을 20번 차서 골대에 13번 넣었을 때 골 성공률은 몇 %?

식 $\dfrac{13}{20} \times 100 = \boxed{}$ (%)

13 축구공을 40번 차서 골대에 32번 넣었을 때 골 성공률은 몇 %?

식 $\dfrac{\boxed{}}{40} \times 100 = \boxed{}$ (%)

14 500명이 참여한 투표에서 175표를 얻었을 때 득표율은 몇 %?

식 $\dfrac{\boxed{}}{500} \times 100 = \boxed{}$ (%)

15 650명이 참여한 투표에서 390표를 얻었을 때 득표율은 몇 %?

식 $\dfrac{\boxed{}}{\boxed{}} \times 100 = \boxed{}$ (%)

4

비와 비율

163

제한 시간 10분

 □ 안에 알맞은 수를 써넣으세요.

① **3 대 7**

→ ☐ : ☐

② **5와 8의 비**

→ ☐ : ☐

③ **9의 14에 대한 비**

→ ☐ : ☐

④ **10에 대한 13의 비**

→ ☐ : ☐

 비율을 기약분수와 소수로 각각 나타내어 보세요.

⑤

비	기약분수	소수
7 : 25		

⑥

비	기약분수	소수
6 : 15		

⑦

비	기약분수	소수
9 : 200		

⑧

비	기약분수	소수
63 : 50		

 □ 안에 알맞은 수를 써넣으세요.

⑨ **30개의 $\frac{5}{6}$는** ☐ **개**

⑩ **150개의 0.34는** ☐ **개**

⑪ ☐ **원의 $\frac{2}{3}$는 1600원**

⑫ ☐ **원의 0.6은 2700원**

비율을 백분율로, 백분율을 기약분수로 나타내어 보세요.

⑬ $\dfrac{3}{4}$ → ☐ %

⑭ $\dfrac{7}{20}$ → ☐ %

⑮ 0.21 → ☐ %

⑯ 0.09 → ☐ %

⑰ 8 % → ☐

⑱ 62 % → ☐

걸린 시간에 대한 간 거리의 비율을 자연수로 나타내어 보세요.

⑲

간 거리(km)	걸린 시간(시간)
312	4

☐

⑳

간 거리(km)	걸린 시간(시간)
570	6

☐

득표율은 몇 %인지 구하세요.

㉑

전체 투표 수(표)	득표 수(표)
800	168

☐ %

㉒

전체 투표 수(표)	득표 수(표)
2000	900

☐ %

제한 시간 안에 정확하게
모두 풀었다면 여러분은 진정한 **계산왕!**

문장제 문제 도전하기

🐻 비로 나타내어 보세요.

1

| 3과 8의 비 |

⬜ : ⬜

이 비가 실생활에서 어떤 상황에 이용될까요?

→ 빨간색 구슬 **3**개, 노란색 구슬 **8**개가 있습니다. 빨간색 구슬 수와 노란색 구슬 수의 비를 구하세요.

⬜ : ⬜

2

| 4의 5에 대한 비 |

⬜ : ⬜

→ 파란색 구슬 **4**개, 초록색 구슬 **5**개가 있습니다. 파란색 구슬 수의 초록색 구슬 수에 대한 비를 구하세요.

⬜ : ⬜

3

| 7에 대한 9의 비 |

⬜ : ⬜

→ 노란색 구슬 **7**개, 파란색 구슬 **9**개가 있습니다. 노란색 구슬 수에 대한 파란색 구슬 수의 비를 구하세요.

⬜ : ⬜

4 토끼(🐰) **7**마리, 거북(🐢) **12**마리가 있습니다.

토끼 수와 거북 수의 비를 구하세요.

5 닭(🐔) **13**마리, 병아리(🐤) **20**마리가 있습니다.

닭 수의 병아리 수에 대한 비를 구하세요.

6 코끼리(🐘) **8**마리, 하마(🦛) **15**마리가 있습니다.

코끼리 수에 대한 하마 수의 비를 구하세요.

문장제 문제 도전하기

비율을 분수와 소수로 각각 나타내어 보세요.

7

10에 대한 3의 비

$$\frac{3}{10} = \boxed{}$$

이 비율이 실생활에서 어떤 상황에 이용될까요?

→ 빨간색 물감 **10** mL와 파란색 물감 **3** mL를 섞어 보라색을 만들었습니다. 빨간색 물감 양에 대한 파란색 물감 양의 비율을 구하세요.

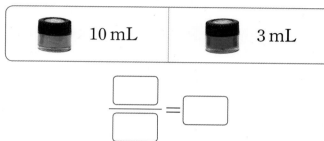

$$\frac{\boxed{}}{\boxed{}} = \boxed{}$$

8

25에 대한 11의 비

$$\frac{11}{25} = \boxed{}$$

→ 노란색 물감 **25** mL와 빨간색 물감 **11** mL를 섞어 주황색을 만들었습니다. 노란색 물감 양에 대한 빨간색 물감 양의 비율을 구하세요.

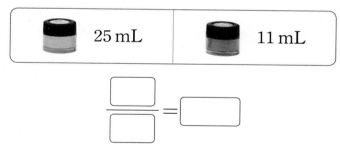

$$\frac{\boxed{}}{\boxed{}} = \boxed{}$$

9

50에 대한 9의 비

$$\frac{9}{50} = \boxed{}$$

→ 노란색 물감 **50** mL와 파란색 물감 **9** mL를 섞어 초록색을 만들었습니다. 노란색 물감 양에 대한 파란색 물감 양의 비율을 구하세요.

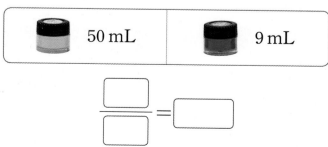

$$\frac{\boxed{}}{\boxed{}} = \boxed{}$$

문장을 읽고 알맞은 식을 세워 비율을 구해 보자!

10 가로가 **20** cm, 세로가 **14** cm인 직사각형이 있습니다.
가로에 대한 세로의 비율을 구하세요.

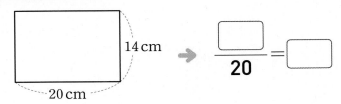

$$\frac{\boxed{}}{20} = \boxed{}$$

11 밑변의 길이가 **25** cm, 높이가 **17** cm인 평행사변형이 있습니다.
밑변의 길이에 대한 높이의 비율을 구하세요.

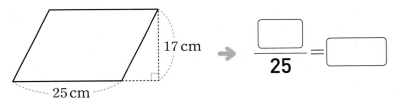

$$\frac{\boxed{}}{25} = \boxed{}$$

12 밑변의 길이가 **24** cm, 높이가 **18** cm인 삼각형이 있습니다.
밑변의 길이에 대한 높이의 비율을 구하세요.

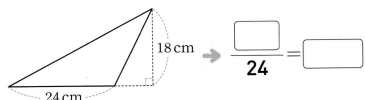

$$\frac{\boxed{}}{24} = \boxed{}$$

창의·융합·코딩·도전하기

창의 1 어느 날 보석 가게에 도둑이 들어 가장 비싼 보석을 훔쳐 갔습니다.

암호 ①
26 %

암호 ③
64 %

암호 ②
37 %

암호 ①, ②, ③의 순서대로 백분율을 비율로 나타낸 수에
해당하는 글자를 찾아 도둑의 이름을 구해 보자.

비 $\dfrac{16}{25}$	윤 $\dfrac{17}{50}$	선 0.46	루 0.37
나 0.87	공 $\dfrac{13}{50}$	김 0.51	장 $\dfrac{13}{25}$

도둑의 이름은 [①] [②] [③] 입니다.

승진이와 대성이는 농구공 던져 넣기를 했습니다.
성공률을 각각 소수로 나타내어 보세요.

공을 던진 횟수가 기준량, 넣은 횟수가 비교하는 양이에요.

승진

대성

공을 45번 던져서 36번 넣었어요.

공을 40번 던져서 34번 넣었어요.

답 승진: _____ , 대성: _____

4

비와 비율

171

창의3 다음과 같이 라면을 할인한다고 합니다.
할인 금액은 얼마일까요?

답 _____ 원

MEMO

배움으로 행복한 내일을 꿈꾸는
천재교육 커뮤니티 안내 . . .

 교재 안내부터 구매까지 한 번에!
천재교육 홈페이지

자사가 발행하는 참고서, 교과서에 대한 소개는 물론
도서 구매도 할 수 있습니다. 회원에게 지급되는 별을 모아
다양한 상품 응모에도 도전해 보세요!

 다양한 교육 꿀팁에 깜짝 이벤트는 덤!
천재교육 인스타그램

천재교육의 새롭고 중요한 소식을 가장 먼저 접하고 싶다면?
천재교육 인스타그램 팔로우가 필수!
깜짝 이벤트도 수시로 진행되니 놓치지 마세요!

 수업이 편리해지는
천재교육 ACA 사이트

오직 선생님만을 위한, 천재교육 모든 교재에 대한 정보가 담긴
아카 사이트에서는 다양한 수업자료 및 부가 자료는 물론
시험 출제에 필요한 문제도 다운로드하실 수 있습니다.

https://aca.chunjae.co.kr

 천재교육을 사랑하는 샘들의 모임
천사샘

학원 강사, 공부방 선생님이시라면 누구나 가입할 수 있는 천사샘!
교재 개발 및 평가를 통해 교재 검토진으로 참여할 수 있는 기회는 물론
다양한 교사용 교재 증정 이벤트가 선생님을 기다립니다.

 아이와 함께 성장하는 학부모들의 모임공간
튠맘 학습연구소

튠맘 학습연구소는 초·중등 학부모를 대상으로 다양한 이벤트와 함께
교재 리뷰 및 학습 정보를 제공하는 네이버 카페입니다.
초등학생, 중학생 자녀를 둔 학부모님이라면 튠맘 학습연구소로 오세요!

#차원이_다른_클라쓰
#강의전문교재
#초등교재

수학교재

● 수학리더 시리즈
- 수학리더 [연산] — 예비초~6학년/A·B단계
- 수학리더 [개념] — 1~6학년/학기별
- 수학리더 [기본] — 1~6학년/학기별
- 수학리더 [유형] — 1~6학년/학기별
- 수학리더 [기본＋응용] — 1~6학년/학기별
- 수학리더 [응용·심화] — 1~6학년/학기별
- 수학리더 [최상위] — 3~6학년/학기별

● 독해가 힘이다 시리즈 *문제해결력
- 수학도 독해가 힘이다 — 1~6학년/학기별
- 초등 문해력 독해가 힘이다 문장제 수학편 — 1~6학년/단계별

● 수학의 힘 시리즈
- 수학의 힘 — 1~2학년/학기별
- 수학의 힘 알파[실력] — 3~6학년/학기별
- 수학의 힘 베타[유형] — 3~6학년/학기별

● Go! 매쓰 시리즈
- Go! 매쓰(Start) *교과서 개념 — 1~6학년/학기별
- Go! 매쓰(Run A/B/C) *교과서+사고력 — 1~6학년/학기별
- Go! 매쓰(Jump) *유형 사고력 — 1~6학년/학기별

● 계산박사 — 1~12단계

● 수학 더 믹힘 — 1~6학년/학기별

월간교재

● NEW 해법수학 — 1~6학년

● 해법수학 단원평가 마스터 — 1~6학년/학기별

● 월간 무등생평가 — 1~6학년

전과목교재

● 리더 시리즈
- 국어 — 1~6학년/학기별
- 사회 — 3~6학년/학기별
- 과학 — 3~6학년/학기별

해법 ★ 전략

수학리더
연산
6A

- 혼자서도 이해할 수 있는 친절한 문제 풀이

- OX퀴즈로 계산 원리 다시 알아보기

천재교육

해법전략
포인트 ③가지

▶ 혼자서도 이해할 수 있는 친절한 문제 풀이

▶ 참고, 주의 등 자세한 풀이 제시

▶ OX퀴즈로 계산 원리 다시 알아보기

정답과 해설

1 분수의 나눗셈

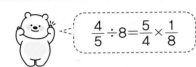

※ 개념 ○✕ 퀴즈

옳으면 ○에, 틀리면 ✕에 ○표 하세요.

$$\frac{4}{5} \div 8 = \frac{5}{4} \times \frac{1}{8}$$

○   ✕

정답은 7쪽에서 확인하세요.

---

1 일차 기초 계산 연습 6~7쪽

❶ 3
❷ $\frac{1}{6}$
❸ $\frac{2}{5}$
❹ $\frac{3}{4}$
❺ $\frac{4}{9}$
❻ $\frac{3}{8}$
❼ 2
❽ 4
❾ 8
❿ 7
⓫ 5
⓬ 6
⓭ $\frac{1}{17}$
⓮ $\frac{1}{10}$
⓯ $\frac{1}{13}$
⓰ $\frac{7}{9}$
⓱ $\frac{2}{9}$
⓲ $\frac{5}{8}$
⓳ $\frac{6}{11}$
⓴ $\frac{4}{17}$
㉑ $\frac{3}{10}$
㉒ $\frac{11}{12}$
㉓ $\frac{6}{13}$
㉔ $\frac{8}{15}$

---

❶ $1 \div 3$의 몫은 1을 3등분한 것 중의 하나이므로 $\frac{1}{3}$ 입니다.

❷ $1 \div 6$의 몫은 1을 6등분한 것 중의 하나이므로 $\frac{1}{6}$ 입니다.

❸ $2 \div 5$의 몫은 $\frac{1}{5}$이 2개이므로 $\frac{2}{5}$입니다.

❹ $3 \div 4$의 몫은 $\frac{1}{4}$이 3개이므로 $\frac{3}{4}$입니다.

❺ $4 \div 9$의 몫은 $\frac{1}{9}$이 4개이므로 $\frac{4}{9}$입니다.

❻ $3 \div 8$의 몫은 $\frac{1}{8}$이 3개이므로 $\frac{3}{8}$입니다.

---

1 일차 플러스 계산 연습 8~9쪽

1 $\frac{1}{5}$
2 $\frac{1}{9}$
3 $\frac{1}{14}$
4 $\frac{3}{7}$
5 $\frac{2}{11}$
6 $\frac{4}{5}$
7 $\frac{2}{3}$
8 $\frac{4}{13}$
9 $\frac{7}{8}$
10 $\frac{6}{7}$
11 $\frac{9}{10}$
12 $\frac{5}{17}$
13 $\frac{1}{7}$
14 $\frac{5}{9}$
15 $\frac{4}{11}$
16 $\frac{7}{12}$
17 $\frac{1}{4}$
18 $\frac{2}{5}$
19 $\frac{2}{13}$
20 $\frac{3}{14}$
21 $\frac{1}{12}$
22 10, $\frac{7}{10}$
23 7, $\frac{5}{7}$
24 8, 9, $\frac{8}{9}$

---

1 $1 \div ■ = \frac{1}{■}$

4 $▲ \div ■ = \frac{▲}{■}$

17 주스 1 L를 4명이 똑같이 나누어 마시면 한 사람은

$1 \div 4 = \frac{1}{4}$ (L)씩 마실 수 있습니다.

21 (한 명이 마시는 우유의 양)
= (전체 우유의 양) ÷ (마시는 사람 수)
= $1 \div 12 = \frac{1}{12}$ (L)

---

2 일차 기초 계산 연습 10~11쪽

❶ 3, 1, 1
❷ $\frac{5}{3}$, $1\frac{2}{3}$
❸ $\frac{8}{5}$, $1\frac{3}{5}$
❹ $\frac{9}{4}$, $2\frac{1}{4}$
❺ 5, 2, 1
❻ 8, 2, 2
❼ 6, $1\frac{1}{6}$
❽ 4, $1\frac{1}{4}$
❾ $\frac{6}{5}$, $1\frac{1}{5}$
❿ $\frac{9}{7}$, $1\frac{2}{7}$
⓫ $\frac{9}{2}$, $4\frac{1}{2}$
⓬ $\frac{11}{6}$, $1\frac{5}{6}$
⓭ $\frac{18}{7}$, $2\frac{4}{7}$
⓮ $\frac{7}{5}$, $1\frac{2}{5}$
⓯ $\frac{11}{3}$, $3\frac{2}{3}$
⓰ $\frac{13}{8}$, $1\frac{5}{8}$
⓱ $\frac{21}{4}$, $5\frac{1}{4}$
⓲ $\frac{25}{6}$, $4\frac{1}{6}$

① $3 \div 2$의 몫은 $\frac{1}{2}$이 3개이므로 $\frac{3}{2} = 1\frac{1}{2}$입니다.

② $5 \div 3$의 몫은 $\frac{1}{3}$이 5개이므로 $\frac{5}{3} = 1\frac{2}{3}$입니다.

③ $8 \div 5$의 몫은 $\frac{1}{5}$이 8개이므로 $\frac{8}{5} = 1\frac{3}{5}$입니다.

④ $9 \div 4$의 몫은 $\frac{1}{4}$이 9개이므로 $\frac{9}{4} = 2\frac{1}{4}$입니다.

② 일차 플러스 계산 연습   12~13쪽

1 $1\frac{3}{4}$	**2** $1\frac{4}{5}$	**3** $1\frac{1}{7}$
4 $2\frac{1}{5}$	**5** $3\frac{1}{2}$	**6** $1\frac{1}{8}$
7 $4\frac{1}{3}$	**8** $2\frac{5}{6}$	**9** $2\frac{3}{4}$
10 $5\frac{1}{5}$	**11** $1\frac{5}{7}$	**12** $6\frac{3}{4}$
13 $2\frac{1}{3}$	**14** $2\frac{1}{6}$	**15** $3\frac{1}{4}$
16 $2\frac{8}{9}$	**17** $1\frac{1}{3}$	**18** $1\frac{3}{7}$
19 $1\frac{5}{9}$	**20** $2\frac{1}{12}$	**21** $3\frac{1}{3}$
22 $8, 2\frac{5}{8}$	**23** $2, 7\frac{1}{2}$	**24** $27, 5, 5\frac{2}{5}$

17 $4 \div 3 = \frac{4}{3} = 1\frac{1}{3}$ (km)

18 $10 \div 7 = \frac{10}{7} = 1\frac{3}{7}$ (km)

19 $14 \div 9 = \frac{14}{9} = 1\frac{5}{9}$ (km)

20 $25 \div 12 = \frac{25}{12} = 2\frac{1}{12}$ (km)

21 (1분에 가는 거리)=(간 거리)÷(걸린 시간)
$= 10 \div 3 = \frac{10}{3} = 3\frac{1}{3}$ (km)

22 $21 \div 8 = \frac{21}{8} = 2\frac{5}{8}$ (km)

23 $15 \div 2 = \frac{15}{2} = 7\frac{1}{2}$ (kg)

24 $27 \div 5 = \frac{27}{5} = 5\frac{2}{5}$ (kg)

③ 일차 기초 계산 연습   14~15쪽

❶ 2, 3	❷ 9, 3	❸ 4, 2
❹ 3, 1	❺ 2, 4	❻ 7, 1
❼ 20, 5, 4	❽ 4, 2, 2	❾ 16, 4, 4
❿ 24, 8, 3	⓫ $\frac{2}{5}$	⓬ $\frac{3}{13}$
⓭ $\frac{2}{17}$	⓮ $\frac{2}{9}$	⓯ $\frac{2}{11}$
⓰ $\frac{2}{21}$	⓱ $\frac{3}{13}$	⓲ $\frac{1}{6}$
⓳ $\frac{3}{23}$	⓴ $\frac{5}{11}$	㉑ $\frac{2}{15}$
㉒ $\frac{5}{16}$	㉓ $\frac{3}{29}$	㉔ $\frac{3}{19}$

③ 일차 플러스 계산 연습   16~17쪽

1 $\frac{2}{7}$	**2** $\frac{4}{9}$	**3** $\frac{3}{11}$
4 $\frac{1}{9}$	**5** $\frac{4}{21}$	**6** $\frac{5}{13}$
7 $\frac{3}{25}$	**8** $\frac{4}{37}$	**9** $\frac{6}{25}$
10 $\frac{3}{16}$	**11** $6, \frac{2}{25}$	**12** $8, \frac{4}{45}$
13 $\frac{5}{27}$	**14** $9, \frac{3}{40}$	**15** $5, \frac{1}{8}$
16 $7, \frac{3}{50}$		

1 $\frac{6}{7}$을 똑같이 셋으로 나눈 것 중의 하나는 $\frac{2}{7}$입니다.

2 $\frac{8}{9}$을 똑같이 둘로 나눈 것 중의 하나는 $\frac{4}{9}$입니다.

3 $\frac{6}{11} \div 2 = \frac{6 \div 2}{11} = \frac{3}{11}$

4 $\frac{5}{9} \div 5 = \frac{5 \div 5}{9} = \frac{1}{9}$

5 $\frac{16}{21} \div 4 = \frac{16 \div 4}{21} = \frac{4}{21}$

6 $\frac{10}{13} \div 2 = \frac{10 \div 2}{13} = \frac{5}{13}$

7 $\frac{18}{25} \div 6 = \frac{18 \div 6}{25} = \frac{3}{25}$

8 $\frac{36}{37} \div 9 = \frac{36 \div 9}{37} = \frac{4}{37}$

9 $\dfrac{18}{25} \div 3 = \dfrac{18 \div 3}{25} = \dfrac{6}{25}$ (m)

10 $\dfrac{15}{16} \div 5 = \dfrac{15 \div 5}{16} = \dfrac{3}{16}$ (m)

11 $\dfrac{12}{25} \div 6 = \dfrac{12 \div 6}{25} = \dfrac{2}{25}$ (m)

12 $\dfrac{32}{45} \div 8 = \dfrac{32 \div 8}{45} = \dfrac{4}{45}$ (m)

13 $\dfrac{20}{27} \div 4 = \dfrac{20 \div 4}{27} = \dfrac{5}{27}$ (m)

14 $\dfrac{27}{40} \div 9 = \dfrac{27 \div 9}{40} = \dfrac{3}{40}$ (m)

15 $\dfrac{5}{8} \div 5 = \dfrac{5 \div 5}{8} = \dfrac{1}{8}$ (kg)

16 $\dfrac{21}{50} \div 7 = \dfrac{21 \div 7}{50} = \dfrac{3}{50}$ (kg)

---

④ 일차　**기초 계산 연습**　18~19쪽

① 12, 12, 3　② 3, 3, 1　③ 6, 6, 2

④ 10, 10, 5　⑤ 28, 28, 4　⑥ 15, 15, 3

⑦ $\dfrac{2}{15}$　⑧ $\dfrac{1}{6}$　⑨ $\dfrac{5}{18}$

⑩ $\dfrac{3}{16}$　⑪ $\dfrac{3}{35}$　⑫ $\dfrac{7}{18}$

⑬ $\dfrac{1}{72}$　⑭ $\dfrac{4}{25}$　⑮ $\dfrac{6}{55}$

⑯ $\dfrac{5}{56}$　⑰ $\dfrac{7}{48}$　⑱ $\dfrac{3}{40}$

⑲ $\dfrac{3}{98}$　⑳ $\dfrac{9}{32}$

---

④ 일차　**플러스 계산 연습**　20~21쪽

1 $\dfrac{1}{12}$　**2** $\dfrac{2}{15}$　**3** $\dfrac{4}{35}$

4 $\dfrac{3}{16}$　**5** $\dfrac{6}{35}$　**6** $\dfrac{5}{36}$

7 $\dfrac{7}{60}$　**8** $\dfrac{8}{39}$　**9** $\dfrac{1}{10}$

10 $\dfrac{5}{24}$　**11** 7, $\dfrac{3}{56}$　**12** 9, $\dfrac{7}{90}$

13 $\dfrac{4}{27}$　**14** $\dfrac{9}{88}$　**15** 6, $\dfrac{5}{48}$

16 7, $\dfrac{6}{91}$

---

1 $\dfrac{1}{4}$을 똑같이 셋으로 나눈 것 중의 하나는 $\dfrac{1}{12}$입니다.

2 $\dfrac{2}{3}$를 똑같이 다섯으로 나눈 것 중의 하나는 $\dfrac{2}{15}$입니다.

3 $\dfrac{4}{5} \div 7 = \dfrac{28}{35} \div 7 = \dfrac{28 \div 7}{35} = \dfrac{4}{35}$

4 $\dfrac{3}{8} \div 2 = \dfrac{6}{16} \div 2 = \dfrac{6 \div 2}{16} = \dfrac{3}{16}$

9 $\dfrac{1}{5} \div 2 = \dfrac{2}{10} \div 2 = \dfrac{2 \div 2}{10} = \dfrac{1}{10}$ (m)

10 $\dfrac{5}{6} \div 4 = \dfrac{20}{24} \div 4 = \dfrac{20 \div 4}{24} = \dfrac{5}{24}$ (m)

11 $\dfrac{3}{8} \div 7 = \dfrac{21}{56} \div 7 = \dfrac{21 \div 7}{56} = \dfrac{3}{56}$ (m)

12 $\dfrac{7}{10} \div 9 = \dfrac{63}{90} \div 9 = \dfrac{63 \div 9}{90} = \dfrac{7}{90}$ (m)

13 $\dfrac{4}{9} \div 3 = \dfrac{12}{27} \div 3 = \dfrac{12 \div 3}{27} = \dfrac{4}{27}$ (m)

14 $\dfrac{9}{11} \div 8 = \dfrac{72}{88} \div 8 = \dfrac{72 \div 8}{88} = \dfrac{9}{88}$ (m)

15 $\dfrac{5}{8} \div 6 = \dfrac{30}{48} \div 6 = \dfrac{30 \div 6}{48} = \dfrac{5}{48}$ (m)

16 $\dfrac{6}{13} \div 7 = \dfrac{42}{91} \div 7 = \dfrac{42 \div 7}{91} = \dfrac{6}{91}$ (m)

---

⑤ 일차　**기초 계산 연습**　22~23쪽

① 2, $\dfrac{1}{8}$　② 3, $\dfrac{4}{15}$　③ 8, $\dfrac{3}{32}$

④ 2, $\dfrac{5}{14}$　⑤ $\dfrac{1}{3}$, $\dfrac{5}{24}$　⑥ $\dfrac{1}{9}$, $\dfrac{4}{45}$

⑦ $\dfrac{1}{7}$, $\dfrac{6}{77}$　⑧ $\dfrac{1}{5}$, $\dfrac{7}{60}$　⑨ $\dfrac{5}{42}$

⑩ $\dfrac{7}{16}$　⑪ $\dfrac{4}{21}$　⑫ $\dfrac{2}{21}$

⑬ $\dfrac{7}{32}$　⑭ $\dfrac{2}{25}$　⑮ $\dfrac{5}{54}$

⑯ $\dfrac{7}{27}$　⑰ $\dfrac{3}{20}$　⑱ $\dfrac{6}{65}$

⑲ $\dfrac{3}{32}$　⑳ $\dfrac{8}{33}$　㉑ $\dfrac{9}{80}$

㉒ $\dfrac{11}{84}$

❾ $\dfrac{5}{7} \div 6 = \dfrac{5}{7} \times \dfrac{1}{6} = \dfrac{5}{42}$

❿ $\dfrac{7}{8} \div 2 = \dfrac{7}{8} \times \dfrac{1}{2} = \dfrac{7}{16}$

5 일차 플러스 계산 연습 · 24~25쪽

1 $\dfrac{6}{7} \div 4 = \dfrac{\overset{3}{6}}{7} \times \dfrac{1}{\underset{2}{4}} = \dfrac{3}{14}$

2 $\dfrac{9}{11} \div 3 = \dfrac{\overset{3}{9}}{11} \times \dfrac{1}{\underset{1}{3}} = \dfrac{3}{11}$

3 $\dfrac{4}{5} \div 8 = \dfrac{\overset{1}{4}}{5} \times \dfrac{1}{\underset{2}{8}} = \dfrac{1}{10}$

4 $\dfrac{10}{13} \div 12 = \dfrac{\overset{5}{10}}{13} \times \dfrac{1}{\underset{6}{12}} = \dfrac{5}{78}$

5 $\dfrac{3}{8}$ **6** $\dfrac{5}{54}$ **7** $\dfrac{4}{35}$

8 $\dfrac{1}{24}$ **9** $\dfrac{2}{45}$ **10** $\dfrac{4}{63}$

11 $\dfrac{5}{12}$ **12** $\dfrac{7}{40}$ **13** $\dfrac{5}{56}$

14 $\dfrac{4}{75}$ **15** $\dfrac{8}{45}$ **16** $8, \dfrac{9}{80}$

17 $3, \dfrac{2}{9}$ **18** $4, \dfrac{9}{64}$

11 $\dfrac{5}{6} \div 2 = \dfrac{5}{6} \times \dfrac{1}{2} = \dfrac{5}{12}$ (L)

12 $\dfrac{7}{10} \div 4 = \dfrac{7}{10} \times \dfrac{1}{4} = \dfrac{7}{40}$ (L)

13 $\dfrac{5}{8} \div 7 = \dfrac{5}{8} \times \dfrac{1}{7} = \dfrac{5}{56}$ (L)

14 $\dfrac{12}{25} \div 9 = \dfrac{\overset{4}{12}}{25} \times \dfrac{1}{\underset{3}{9}} = \dfrac{4}{75}$ (L)

15 $\dfrac{8}{9} \div 5 = \dfrac{8}{9} \times \dfrac{1}{5} = \dfrac{8}{45}$ (L)

16 $\dfrac{9}{10} \div 8 = \dfrac{9}{10} \times \dfrac{1}{8} = \dfrac{9}{80}$ (L)

17 $\dfrac{2}{3} \div 3 = \dfrac{2}{3} \times \dfrac{1}{3} = \dfrac{2}{9}$ (kg)

18 $\dfrac{9}{16} \div 4 = \dfrac{9}{16} \times \dfrac{1}{4} = \dfrac{9}{64}$ (kg)

6 일차 기초 계산 연습 · 26~27쪽

❶ $4, \dfrac{5}{12}$ **❷** $3, \dfrac{8}{15}$

❸ $2, \dfrac{7}{8}$ **❹** $8, 48$

❺ $3, 1, 2, \dfrac{3}{14}$ **❻** $4, 1, 5, \dfrac{4}{35}$

❼ $5, 1, 7, \dfrac{5}{49}$ **❽** $3, 1, 2, \dfrac{3}{16}$

❾ $\dfrac{5}{6}$ **❿** $\dfrac{7}{15}$ **⓫** $\dfrac{9}{28}$

⓬ $\dfrac{3}{4}$ **⓭** $\dfrac{10}{27}$ **⓮** $\dfrac{7}{24}$

⓯ $\dfrac{13}{18}$ **⓰** $\dfrac{3}{20}$ **⓱** $\dfrac{11}{24}$

⓲ $\dfrac{5}{28}$ **⓳** $\dfrac{14}{45}$ **⓴** $\dfrac{3}{14}$

㉑ $\dfrac{13}{48}$ **㉒** $\dfrac{3}{20}$

❾ $\dfrac{5}{2} \div 3 = \dfrac{5}{2} \times \dfrac{1}{3} = \dfrac{5}{6}$

❿ $\dfrac{7}{3} \div 5 = \dfrac{7}{3} \times \dfrac{1}{5} = \dfrac{7}{15}$

⓫ $\dfrac{9}{4} \div 7 = \dfrac{9}{4} \times \dfrac{1}{7} = \dfrac{9}{28}$

6 일차 플러스 계산 연습 · 28~29쪽

1 $\dfrac{10}{3} \div 3 = \dfrac{10}{3} \times \dfrac{1}{3} = \dfrac{10}{9} = 1\dfrac{1}{9}$

2 $\dfrac{9}{2} \div 4 = \dfrac{9}{2} \times \dfrac{1}{4} = \dfrac{9}{8} = 1\dfrac{1}{8}$

3 $\dfrac{27}{5} \div 2 = \dfrac{27}{5} \times \dfrac{1}{2} = \dfrac{27}{10} = 2\dfrac{7}{10}$

4 $\dfrac{55}{6} \div 7 = \dfrac{55}{6} \times \dfrac{1}{7} = \dfrac{55}{42} = 1\dfrac{13}{42}$

5 $\dfrac{11}{20}$ **6** $\dfrac{7}{12}$ **7** $\dfrac{11}{15}$

8 $1\dfrac{5}{12}$ **9** $\dfrac{5}{6}$ **10** $\dfrac{15}{56}$

11 $\dfrac{13}{60}$ **12** $\dfrac{11}{32}$ **13** $8, \dfrac{9}{20}$

14 $5, \dfrac{7}{30}$ **15** $\dfrac{11}{12}$ **16** $1\dfrac{3}{16}\left(=\dfrac{19}{16}\right)$

17 $7, \dfrac{22}{35}$ **18** $5, \dfrac{29}{40}$

11 (출발 ~ 가에서 1분 동안 달린 거리)

$$=\frac{13}{10}\div6=\frac{13}{10}\times\frac{1}{6}=\frac{13}{60} \text{ (km)}$$

12 (가 ~ 나에서 1분 동안 달린 거리)

$$=\frac{11}{8}\div4=\frac{11}{8}\times\frac{1}{4}=\frac{11}{32} \text{ (km)}$$

13 (나 ~ 다에서 1분 동안 달린 거리)

$$=\frac{18}{5}\div8=\frac{\overset{9}{18}}{5}\times\frac{1}{\underset{4}{8}}=\frac{9}{20} \text{ (km)}$$

14 (다 ~ 도착에서 1분 동안 달린 거리)

$$=\frac{7}{6}\div5=\frac{7}{6}\times\frac{1}{5}=\frac{7}{30} \text{ (km)}$$

15 $\dfrac{11}{4}\div3=\dfrac{11}{4}\times\dfrac{1}{3}=\dfrac{11}{12}$ (km)

16 $\dfrac{19}{2}\div8=\dfrac{19}{2}\times\dfrac{1}{8}=\dfrac{19}{16}=1\dfrac{3}{16}$ (km)

17 $\dfrac{22}{5}\div7=\dfrac{22}{5}\times\dfrac{1}{7}=\dfrac{22}{35}$ (kg)

18 $\dfrac{29}{8}\div5=\dfrac{29}{8}\times\dfrac{1}{5}=\dfrac{29}{40}$ (kg)

---

7 일차 **기초 계산 연습** 30~31쪽

❶ 6, 3, 2	❷ 16, 16, 2	❸ 15, 15, 5
❹ 5, 5	❺ 12, 6, 2	❻ $\dfrac{3}{5}$
❼ $\dfrac{2}{9}$	❽ $\dfrac{1}{6}$	❾ $\dfrac{2}{7}$
❿ $\dfrac{2}{3}$	⓫ $3\dfrac{2}{3}$	⓬ $\dfrac{4}{5}$
⓭ $\dfrac{5}{7}$	⓮ $\dfrac{5}{8}$	⓯ $\dfrac{3}{11}$
⓰ $\dfrac{4}{9}$	⓱ $\dfrac{4}{5}$	⓲ $\dfrac{3}{14}$
⓳ $\dfrac{4}{9}$		

6 $1\dfrac{4}{5}\div3=\dfrac{9}{5}\div3=\dfrac{9\div3}{5}=\dfrac{3}{5}$

7 $1\dfrac{1}{9}\div5=\dfrac{10}{9}\div5=\dfrac{10\div5}{9}=\dfrac{2}{9}$

8 $1\dfrac{1}{6}\div7=\dfrac{7}{6}\div7=\dfrac{7\div7}{6}=\dfrac{1}{6}$

---

❿ $4\dfrac{2}{3}\div7=\dfrac{14}{3}\div7=\dfrac{14\div7}{3}=\dfrac{2}{3}$

⓫ $7\dfrac{1}{3}\div2=\dfrac{22}{3}\div2=\dfrac{22\div2}{3}=\dfrac{11}{3}=3\dfrac{2}{3}$

---

7 일차 **플러스 계산 연습** 32~33쪽

1 $1\dfrac{2}{3}\div5=\dfrac{5}{3}\div5=\dfrac{5\div5}{3}=\dfrac{1}{3}$

2 $2\dfrac{6}{7}\div4=\dfrac{20}{7}\div4=\dfrac{20\div4}{7}=\dfrac{5}{7}$

3 $1\dfrac{3}{7}\div2=\dfrac{10}{7}\div2=\dfrac{\overset{5}{10}}{7}\times\dfrac{1}{\underset{1}{2}}=\dfrac{5}{7}$

4 $2\dfrac{7}{10}\div9=\dfrac{27}{10}\div9=\dfrac{\overset{3}{27}}{10}\times\dfrac{1}{\underset{1}{9}}=\dfrac{3}{10}$

5 $\dfrac{3}{4}$	**6** $\dfrac{3}{5}$	**7** $\dfrac{4}{13}$
8 $\dfrac{3}{7}$	**9** $\dfrac{5}{9}$	**10** $\dfrac{2}{5}$
11 $\dfrac{3}{7}$	**12** $\dfrac{2}{3}$	**13** $\dfrac{9}{10}$
14 $\dfrac{4}{5}$		

5 $3\dfrac{3}{4}\div5=\dfrac{15}{4}\div5=\dfrac{15\div5}{4}=\dfrac{3}{4}$

6 $3\dfrac{3}{5}\div6=\dfrac{18}{5}\div6=\dfrac{18\div6}{5}=\dfrac{3}{5}$

7 $2\dfrac{10}{13}\div9=\dfrac{36}{13}\div9=\dfrac{36\div9}{13}=\dfrac{4}{13}$

8 $6\dfrac{3}{7}\div15=\dfrac{45}{7}\div15=\dfrac{45\div15}{7}=\dfrac{3}{7}$

9 $1\dfrac{1}{9}\div2=\dfrac{10}{9}\div2=\dfrac{10\div2}{9}=\dfrac{5}{9}$ (kg)

10 $2\dfrac{4}{5}\div7=\dfrac{14}{5}\div7=\dfrac{14\div7}{5}=\dfrac{2}{5}$ (kg)

11 $2\dfrac{1}{7}\div5=\dfrac{15}{7}\div5=\dfrac{15\div5}{7}=\dfrac{3}{7}$ (kg)

12 $2\dfrac{2}{3}\div4=\dfrac{8}{3}\div4=\dfrac{8\div4}{3}=\dfrac{2}{3}$ (kg)

13 $2\dfrac{7}{10}\div3=\dfrac{27}{10}\div3=\dfrac{27\div3}{10}=\dfrac{9}{10}$ (m)

14 $6\dfrac{2}{5}\div8=\dfrac{32}{5}\div8=\dfrac{32\div8}{5}=\dfrac{4}{5}$ (m)

8 일차　기초 계산 연습　34~35쪽

① 7, 21, 21, 7　　② 11, 22, 22, 11

③ 13, 4, 13　　④ 5, 6, 5

⑤ 17, 9, $\dfrac{17}{72}$　　⑥ 37, 7, $\dfrac{37}{70}$

⑦ $\dfrac{15}{28}$　　⑧ $\dfrac{11}{12}$　　⑨ $\dfrac{13}{36}$

⑩ $\dfrac{19}{40}$　　⑪ $\dfrac{7}{12}$　　⑫ $\dfrac{11}{14}$

⑬ $\dfrac{23}{30}$　　⑭ $\dfrac{23}{40}$　　⑮ $1\dfrac{1}{16}$

⑯ $\dfrac{5}{7}$　　⑰ $\dfrac{15}{32}$　　⑱ $\dfrac{17}{18}$

⑲ $\dfrac{5}{9}$　　⑳ $1\dfrac{7}{12}$

⑯ $6\dfrac{3}{7}\div 9=\dfrac{\overset{5}{\cancel{45}}}{7}\times\dfrac{1}{\underset{1}{\cancel{9}}}=\dfrac{5}{7}$

⑲ $3\dfrac{8}{9}\div 7=\dfrac{\overset{5}{\cancel{35}}}{9}\times\dfrac{1}{\underset{1}{\cancel{7}}}=\dfrac{5}{9}$

⑳ $6\dfrac{1}{3}\div 4=\dfrac{19}{3}\times\dfrac{1}{4}=\dfrac{19}{12}=1\dfrac{7}{12}$

8 일차　플러스 계산 연습　36~37쪽

1 $1\dfrac{1}{7}\div 6=\dfrac{8}{7}\div 6=\dfrac{\overset{4}{\cancel{8}}}{7}\times\dfrac{1}{\underset{3}{\cancel{6}}}=\dfrac{4}{21}$

2 $4\dfrac{1}{5}\div 9=\dfrac{21}{5}\div 9=\dfrac{\overset{7}{\cancel{21}}}{5}\times\dfrac{1}{\underset{3}{\cancel{9}}}=\dfrac{7}{15}$

3 $2\dfrac{7}{9}\div 10=\dfrac{25}{9}\div 10=\dfrac{\overset{5}{\cancel{25}}}{9}\times\dfrac{1}{\underset{2}{\cancel{10}}}=\dfrac{5}{18}$

4 $6\dfrac{2}{3}\div 8=\dfrac{20}{3}\div 8=\dfrac{\overset{5}{\cancel{20}}}{3}\times\dfrac{1}{\underset{2}{\cancel{8}}}=\dfrac{5}{6}$

5 $\dfrac{7}{20}$　　**6** $\dfrac{11}{15}$　　**7** $\dfrac{9}{22}$

8 $\dfrac{3}{7}$　　**9** $1\dfrac{1}{6}$　　**10** $2\dfrac{3}{10}$

11 $\dfrac{7}{15}$　　**12** $\dfrac{7}{8}$　　**13** $\dfrac{13}{16}$

14 $\dfrac{7}{8}$　　**15** $\dfrac{23}{30}$　　**16** $1\dfrac{3}{14}\left(=\dfrac{17}{14}\right)$

11 (집~학교)÷(학교~은행)

$=1\dfrac{2}{5}\div 3=\dfrac{7}{5}\times\dfrac{1}{3}=\dfrac{7}{15}$(배)

12 (집~학교)÷(학교~도서관)

$=1\dfrac{3}{4}\div 2=\dfrac{7}{4}\times\dfrac{1}{2}=\dfrac{7}{8}$(배)

13 $3\dfrac{1}{4}\div 4=\dfrac{13}{4}\times\dfrac{1}{4}=\dfrac{13}{16}$(배)

14 $4\dfrac{3}{8}\div 5=\dfrac{\overset{7}{\cancel{35}}}{8}\times\dfrac{1}{\underset{1}{\cancel{5}}}=\dfrac{7}{8}$(배)

15 $4\dfrac{3}{5}\div 6=\dfrac{23}{5}\times\dfrac{1}{6}=\dfrac{23}{30}$(배)

16 $8\dfrac{1}{2}\div 7=\dfrac{17}{2}\times\dfrac{1}{7}=\dfrac{17}{14}=1\dfrac{3}{14}$(배)

9 일차　기초 계산 연습　38~39쪽

① 3, $\dfrac{4}{15}$　　② 5, $\dfrac{18}{35}$

③ 2, $\dfrac{5}{48}$　　④ 4, $\dfrac{7}{72}$

⑤ 12, 4, 9, 1, 4　　⑥ 16, 8, 3, 27

⑦ $\dfrac{8}{35}$　　⑧ $\dfrac{20}{27}$　　⑨ $\dfrac{8}{21}$

⑩ $\dfrac{15}{16}$　　⑪ $\dfrac{5}{24}$　　⑫ $\dfrac{9}{20}$

⑬ $\dfrac{9}{88}$　　⑭ $\dfrac{3}{32}$　　⑮ $2\dfrac{5}{8}$

⑯ $\dfrac{4}{15}$　　⑰ $\dfrac{35}{54}$　　⑱ $3\dfrac{5}{21}$

⑲ $\dfrac{13}{108}$　　⑳ $\dfrac{4}{63}$

⑮ $3\dfrac{1}{2}\times 3\div 4=\dfrac{7}{2}\times 3\times\dfrac{1}{4}=\dfrac{21}{8}=2\dfrac{5}{8}$

⑯ $2\dfrac{4}{5}\times 2\div 21=\dfrac{\overset{2}{\cancel{14}}}{5}\times 2\times\dfrac{1}{\underset{3}{\cancel{21}}}=\dfrac{4}{15}$

⑰ $1\dfrac{1}{6}\div 9\times 5=\dfrac{7}{6}\times\dfrac{1}{9}\times 5=\dfrac{35}{54}$

⑱ $2\dfrac{3}{7}\div 3\times 4=\dfrac{17}{7}\times\dfrac{1}{3}\times 4=\dfrac{68}{21}=3\dfrac{5}{21}$

⑲ $1\dfrac{4}{9}\div 2\div 6=\dfrac{13}{9}\times\dfrac{1}{2}\times\dfrac{1}{6}=\dfrac{13}{108}$

⑳ $3\dfrac{5}{9}\div 8\div 7=\dfrac{\overset{4}{\cancel{32}}}{9}\times\dfrac{1}{\underset{1}{\cancel{8}}}\times\dfrac{1}{7}=\dfrac{4}{63}$

정답과 해설

9 일차 　플러스 계산 연습　　40~41쪽

1 $\dfrac{8}{9} \div 2 \div 5 = \dfrac{\overset{4}{8}}{9} \times \dfrac{1}{\underset{1}{2}} \div 5 = \dfrac{4}{9} \times \dfrac{1}{5} = \dfrac{4}{45}$

2 $8\dfrac{1}{6} \div 4 \div 7 = \dfrac{49}{6} \times \dfrac{1}{4} \div 7 = \dfrac{\overset{7}{49}}{24} \times \dfrac{1}{\underset{1}{7}} = \dfrac{7}{24}$

3 $\dfrac{4}{11}$ 　　**4** $1\dfrac{25}{27}$ 　　**5** $\dfrac{35}{72}$

6 $5\dfrac{3}{5}$ 　　**7** $\dfrac{2}{77}$ 　　**8** $\dfrac{5}{36}$

9 $3\dfrac{1}{3}$ 　　**10** $1\dfrac{7}{12}$ 　　**11** $\dfrac{51}{70}$

12 $1\dfrac{13}{15}$ 　　**13** $8\dfrac{3}{4}\left(=\dfrac{35}{4}\right)$

14 $2,\ 23\dfrac{1}{3}\left(=\dfrac{70}{3}\right)$

9 $5\dfrac{1}{3} \div 8 \times 5 = \dfrac{\overset{2}{16}}{3} \times \dfrac{1}{\underset{1}{8}} \times 5 = \dfrac{10}{3} = 3\dfrac{1}{3}$ (L)

10 $2\dfrac{3}{8} \div 3 \times 2 = \dfrac{19}{8} \times \dfrac{1}{3} \times \overset{1}{2}_{\underset{4}{}} = \dfrac{19}{12} = 1\dfrac{7}{12}$ (L)

12 $4\dfrac{1}{5} \div 9 \times 4 = \dfrac{\overset{7}{21}}{5} \times \dfrac{1}{\underset{3}{9}} \times 4 = \dfrac{28}{15} = 1\dfrac{13}{15}$ (L)

13 (삼각형의 넓이) = (밑변의 길이) × (높이) ÷ 2

　　➡ $3\dfrac{1}{2} \times 5 \div 2 = \dfrac{7}{2} \times 5 \times \dfrac{1}{2} = \dfrac{35}{4} = 8\dfrac{3}{4}$ (cm²)

평가　SPEED 연산력 TEST　　42~43쪽

❶ $\dfrac{5}{6}$ 　　❷ $1\dfrac{4}{9}$ 　　❸ $\dfrac{2}{13}$

❹ $\dfrac{4}{25}$ 　　❺ $\dfrac{1}{14}$ 　　❻ $\dfrac{5}{42}$

❼ $\dfrac{11}{12}$ 　　❽ $\dfrac{9}{20}$ 　　❾ $\dfrac{4}{7}$

❿ $1\dfrac{7}{18}$ 　　⓫ $1\dfrac{19}{30}$ 　　⓬ $\dfrac{2}{27}$

⓭ $2\dfrac{1}{8}$ 　　⓮ $\dfrac{3}{17}$ 　　⓯ $\dfrac{7}{20}$

⓰ $\dfrac{15}{32}$ 　　⓱ $\dfrac{35}{36}$ 　　⓲ $1\dfrac{5}{24}$

⓳ $\dfrac{3}{32}$ 　　⓴ $1\dfrac{1}{8}$

특강　문장제 문제 도전하기　　44~47쪽

1 $\dfrac{1}{10}$; $\dfrac{3}{10}$, 3, $\dfrac{1}{10}$; $\dfrac{1}{10}$

2 $\dfrac{11}{80}$; $\dfrac{11}{20}$, 4, $\dfrac{11}{80}$; $\dfrac{11}{80}$

3 $\dfrac{3}{5}$, 2, $\dfrac{3}{10}$ 　　　　**4** $\dfrac{3}{4}$, 5, $\dfrac{3}{20}$

5 $\dfrac{13}{8}$, 7, $\dfrac{13}{56}$

6 $\dfrac{9}{10}$; $3\dfrac{3}{5}$, 4, $\dfrac{9}{10}$; $\dfrac{9}{10}$

7 $1\dfrac{3}{10}$; $9\dfrac{1}{10}$, 7, $1\dfrac{3}{10}$; $1\dfrac{3}{10}$

8 $\dfrac{7}{20}$, 5, $\dfrac{7}{100}$ 　　　　**9** $\dfrac{21}{50}$, 15, $\dfrac{7}{250}$

10 $1\dfrac{1}{3}$, 8, $\dfrac{1}{6}$

특강　창의·융합·코딩·도전하기　　48~49쪽

창의**1** 　3, 4, 1

창의**2** 　$2 \div 3 = \dfrac{2}{3}$

융합**3** 　(○) (　)

창의**1** 　① $\dfrac{9}{10} \div 3 = \dfrac{9 \div 3}{10} = \dfrac{3}{10}$ ➡ □ = 3,

　　② $\dfrac{8}{11} \div 2 = \dfrac{8 \div 2}{11} = \dfrac{4}{11}$ ➡ □ = 4,

　　③ $\dfrac{6}{7} \div 12 = \dfrac{\overset{1}{6}}{7} \times \dfrac{1}{\underset{2}{12}} = \dfrac{1}{14}$ ➡ □ = 1

융합**3** 　왼쪽 자동차의 연비:

　　$\dfrac{250}{3} \div 5 = \dfrac{250 \div 5}{3} = \dfrac{50}{3} = 16\dfrac{2}{3}$

　　오른쪽 자동차의 연비:

　　$57\dfrac{1}{2} \div 4 = \dfrac{115}{2} \times \dfrac{1}{4} = \dfrac{115}{8} = 14\dfrac{3}{8}$

　　➡ $16\dfrac{2}{3} > 14\dfrac{3}{8}$

✳ 개념 ○✕ 퀴즈 정답

정답과 해설

2 소수의 나눗셈 (1)

✱ 개념 ○✕ 퀴즈

계산이 바르면 ○에, 틀리면 ✕에 ○표 하세요.

$69 \div 3 = 23 \Rightarrow 6.9 \div 3 = 2.3$

정답은 14쪽에서 확인하세요.

---

1 일차 기초 계산 연습   52~53쪽

❶ 12.3, 1.23   ❷ 23.1, 2.31
❸ 22.1, 2.21   ❹ 23.4, 2.34
❺ 133, 13.3, 1.33   ❻ 212, 21.2, 2.12
❼ 432, 43.2, 4.32   ❽ 313, 31.3, 3.13
❾ 112 ; 4.48, 4, 1.12
❿ 121 ; 3.63, 3, 1.21
⓫ 311 ; 9.33, 3, 3.11
⓬ 141 ; 2.82, 2, 1.41
⓭ 341 ; 6.82, 2, 3.41
⓮ 211 ; 8.44, 4, 2.11
⓯ 224 ; 4.48, 2, 2.24
⓰ 232 ; 6.96, 3, 2.32
⓱ 123 ; 3.69, 3, 1.23
⓲ 233 ; 4.66, 2, 2.33

❶ $246 \div 2 = 123$
$24.6 \div 2 = 12.3$
$2.46 \div 2 = 1.23$

❷ $693 \div 3 = 231$
$69.3 \div 3 = 23.1$
$6.93 \div 3 = 2.31$

---

❾ $448 \div 4 = 112$
→ $4.48 \div 4 = 1.12$

❿ $363 \div 3 = 121$
→ $3.63 \div 3 = 1.21$

---

1 일차 플러스 계산 연습   54~55쪽

1 424, 42.4, 4.24   **2** 312, 31.2, 3.12
3 131, 13.1, 1.31   **4** 131, 13.1, 1.31
5 122, 12.2, 1.22   **6** 223, 22.3, 2.23
7 434, 43.4, 4.34   **8** 332, 33.2, 3.32
9 31.42   **10** 84.48, 21.12
11 96.39, 32.13   **12** 3.12
13 2, 4.31   **14** 2, 20.31
15 4, 12.22

9 $6284 \div 2 = 3142$
→ $62.84 \div 2 = 31.42$

10 $8448 \div 4 = 2112$
→ $84.48 \div 4 = 21.12$

11 $9639 \div 3 = 3213$
→ $96.39 \div 3 = 32.13$

12 $936 \div 3 = 312$
→ $9.36 \div 3 = 3.12$

---

2 일차 기초 계산 연습   56~57쪽

❶ 14, 1.4   ❷ 21, 2.1
❸ 42, 4.2   ❹ 53, 5.3
❺ 69, 6.9   ❻ 87, 8.7
❼ 95, 9.5   ❽ 36, 3.6
❾ 85, 8.5   ❿ 49, 4.9
⓫ 36, 36, 12, 1.2   ⓬ 26, 26, 13, 1.3
⓭ 456, 456, 76, 7.6   ⓮ 287, 287, 41, 4.1
⓯ 1.2   ⓰ 1.3   ⓱ 8.2
⓲ 6.1   ⓳ 4.1   ⓴ 7.1
㉑ 9.3   ㉒ 8.3

⑮ $4.8 \div 4 = \dfrac{48}{10} \div 4 = \dfrac{48 \div 4}{10} = \dfrac{12}{10} = 1.2$

⑯ $3.9 \div 3 = \dfrac{39}{10} \div 3 = \dfrac{39 \div 3}{10} = \dfrac{13}{10} = 1.3$

⑰ $16.4 \div 2 = \dfrac{164}{10} \div 2 = \dfrac{164 \div 2}{10} = \dfrac{82}{10} = 8.2$

⑱ $48.8 \div 8 = \dfrac{488}{10} \div 8 = \dfrac{488 \div 8}{10} = \dfrac{61}{10} = 6.1$

⑲ $36.9 \div 9 = \dfrac{369}{10} \div 9 = \dfrac{369 \div 9}{10} = \dfrac{41}{10} = 4.1$

⑳ $42.6 \div 6 = \dfrac{426}{10} \div 6 = \dfrac{426 \div 6}{10} = \dfrac{71}{10} = 7.1$

㉑ $37.2 \div 4 = \dfrac{372}{10} \div 4 = \dfrac{372 \div 4}{10} = \dfrac{93}{10} = 9.3$

㉒ $41.5 \div 5 = \dfrac{415}{10} \div 5 = \dfrac{415 \div 5}{10} = \dfrac{83}{10} = 8.3$

② 일차 플러스 계산 연습　58~59쪽

1 $49.7 \div 7 = \dfrac{497}{10} \div 7 = \dfrac{497 \div 7}{10} = \dfrac{71}{10} = 7.1$

2 $12.8 \div 4 = \dfrac{128}{10} \div 4 = \dfrac{128 \div 4}{10} = \dfrac{32}{10} = 3.2$

3 $41.4 \div 9 = \dfrac{414}{10} \div 9 = \dfrac{414 \div 9}{10} = \dfrac{46}{10} = 4.6$

4 $18.6 \div 2 = \dfrac{186}{10} \div 2 = \dfrac{186 \div 2}{10} = \dfrac{93}{10} = 9.3$

5 $29.5 \div 5 = \dfrac{295}{10} \div 5 = \dfrac{295 \div 5}{10} = \dfrac{59}{10} = 5.9$

6 $65.6 \div 8 = \dfrac{656}{10} \div 8 = \dfrac{656 \div 8}{10} = \dfrac{82}{10} = 8.2$

7 2.2　　　**8** 6.1
9 8.9　　　**10** 7.6
11 9.4　　　**12** 3.7
13 7.6　　　**14** 9.7
15 6, 8.4　　**16** 4, 6.8
17 9, 6.3　　**18** 7, 7.4
19 5.9　　　**20** 9, 2.5
21 47.5, 5, 9.5　　**22** 26.7, 3, 8.9

7 $8.8 \div 4 = \dfrac{88}{10} \div 4 = \dfrac{88 \div 4}{10} = \dfrac{22}{10} = 2.2$

8 $54.9 \div 9 = \dfrac{549}{10} \div 9 = \dfrac{549 \div 9}{10} = \dfrac{61}{10} = 6.1$

③ 일차 기초 계산 연습　60~61쪽

❶
```
     3.1
2)6.2
   6
     2
     2
     0
```

❷
```
     3.2
3)9.6
   9
     6
     6
     0
```

❸
```
     1.1
4)4.4
   4
     4
     4
     0
```

❹
```
     2.2
4)8.8
   8
     8
     8
     0
```

❺
```
     3.1
3)9.3
   9
     3
     3
     0
```

❻
```
     3.2
2)6.4
   6
     4
     4
     0
```

❼
```
      3.1
5)15.5
  15
     5
     5
     0
```

❽
```
      5.1
7)35.7
  35
     7
     7
     0
```

❾
```
      9.1
9)81.9
  81
     9
     9
     0
```

❿
```
      6.3
3)18.9
  18
     9
     9
     0
```

⓫
```
      9.2
4)36.8
  36
     8
     8
     0
```

⓬
```
      7.4
2)14.8
  14
     8
     8
     0
```

⓭
```
      6.1
7)42.7
  42
     7
     7
     0
```

⓮
```
      6.2
4)24.8
  24
     8
     8
     0
```

⑮

```
        2 . 1
   9 ) 1 8 . 9
       1 8
           9
           9
           0
```

⑯

```
          6 . 3
   8 ) 5 0 . 4
       4 8
          2 4
          2 4
           0
```

⑰

```
        8 . 9
   3 ) 2 6 . 7
       2 4
          2 7
          2 7
           0
```

⑱

```
        5 . 8
   2 ) 1 1 . 6
       1 0
          1 6
          1 6
           0
```

⑲ 5.9 ;

```
        5 . 9
   5 ) 2 9 . 5
       2 5
          4 5
          4 5
           0
```

⑳ 8.8 ;

```
        8 . 8
   8 ) 7 0 . 4
       6 4
          6 4
          6 4
           0
```

㉑ 3.9 ;

```
        3 . 9
   6 ) 2 3 . 4
       1 8
          5 4
          5 4
           0
```

7

```
        5 . 2
   4 ) 2 0 . 8
       2 0
           8
           8
           0
```

8

```
        8 . 1
   5 ) 4 0 . 5
       4 0
           5
           5
           0
```

11 (1 L로 달린 거리)=(달린 거리)÷(사용한 연료)
=35.5÷5=7.1 (km)

---

④ 일차 기초 계산 연습 64~65쪽

❶ 234, 2.34
❷ 132, 1.32
❸ 517, 5.17
❹ 869, 8.69
❺ 483, 4.83
❻ 754, 7.54
❼ 653, 6.53
❽ 875, 8.75
❾ 369, 3.69
❿ 976, 9.76
⓫ 2871, 2871, 957, 9.57
⓬ 5072, 5072, 634, 6.34
⓭ 2125, 2125, 425, 4.25
⓮ 7074, 7074, 786, 7.86
⓯ 3.22
⓰ 6.45
⓱ 9.35
⓲ 7.58
⓳ 3.98
⓴ 8.47
㉑ 2.56
㉒ 6.76

---

③ 일차 플러스 계산 연습 62~63쪽

1 2.3　**2** 3.3　**3** 9.1
4 4.1　**5** 8.5　**6** 7.6
7 5.2　**8** 8.1　**9** 2.7
10 7.9　**11** 7.1　**12** 8, 6.9
13 58.1, 7, 8.3
14 2.9　**15** 4, 3.4
16 45.6, 8, 5.7　**17** 41.4, 9, 4.6

---

④ 일차 플러스 계산 연습 66~67쪽

1 $25.16 \div 4 = \dfrac{2516}{100} \div 4 = \dfrac{2516 \div 4}{100} = \dfrac{629}{100} = 6.29$

2 $31.22 \div 7 = \dfrac{3122}{100} \div 7 = \dfrac{3122 \div 7}{100} = \dfrac{446}{100} = 4.46$

3 $16.56 \div 3 = \dfrac{1656}{100} \div 3 = \dfrac{1656 \div 3}{100} = \dfrac{552}{100} = 5.52$

4 $17.26 \div 2 = \dfrac{1726}{100} \div 2 = \dfrac{1726 \div 2}{100} = \dfrac{863}{100} = 8.63$

5 $57.78 \div 9 = \dfrac{5778}{100} \div 9 = \dfrac{5778 \div 9}{100} = \dfrac{642}{100} = 6.42$

6 $20.22 \div 6 = \dfrac{2022}{100} \div 6 = \dfrac{2022 \div 6}{100} = \dfrac{337}{100} = 3.37$

7 8.47　**8** 2.98　**9** 3.26
10 7.59　**11** 4.52　**12** 6.32
13 2.47　**14** 4.96　**15** 8, 3.37
16 5, 9.79　**17** 5.36　**18** 7, 6.85
19 11.25, 5, 2.25　**20** 10.05, 3, 3.35

17 (한 도막의 길이)＝(철사의 길이)÷(도막 수)
＝48.24÷9＝5.36 (m)

19 (하루에 늦게 간 시간)＝(늦게 간 시간)÷(날수)
＝11.25÷5＝2.25(분)

❶
```
        1 . 8 4
7 ) 1 2 . 8 8
    7
    5 8
    5 6
        2 8
        2 8
          0
```

❷
```
        6 . 2 7
8 ) 5 0 . 1 6
    4 8
      2 1
      1 6
          5 6
          5 6
            0
```

❸
```
        8 . 3 5
3 ) 2 5 . 0 5
    2 4
      1 0
        9
        1 5
        1 5
          0
```

❹
```
        9 . 6 4
4 ) 3 8 . 5 6
    3 6
      2 5
      2 4
        1 6
        1 6
          0
```

❺
```
        8 . 9 7
2 ) 1 7 . 9 4
    1 6
      1 9
      1 8
        1 4
        1 4
          0
```

❻
```
        4 . 5 3
9 ) 4 0 . 7 7
    3 6
      4 7
      4 5
        2 7
        2 7
          0
```

❼
```
        2 . 8 3
6 ) 1 6 . 9 8
    1 2
      4 9
      4 8
        1 8
        1 8
          0
```

❽
```
        7 . 4 6
4 ) 2 9 . 8 4
    2 8
      1 8
      1 6
        2 4
        2 4
          0
```

❾
```
        8 . 5 9
7 ) 6 0 . 1 3
    5 6
      4 1
      3 5
        6 3
        6 3
          0
```

❿
```
        4 . 5 7
5 ) 2 2 . 8 5
    2 0
      2 8
      2 5
        3 5
        3 5
          0
```

⓫
```
        7 . 2 3
9 ) 6 5 . 0 7
    6 3
      2 0
      1 8
        2 7
        2 7
          0
```

⓬
```
        6 . 8 5
3 ) 2 0 . 5 5
    1 8
      2 5
      2 4
        1 5
        1 5
          0
```

⓭ 3.92 ;
```
        3 . 9 2
8 ) 3 1 . 3 6
    2 4
      7 3
      7 2
        1 6
        1 6
          0
```

⓮ 9.37 ;
```
        9 . 3 7
2 ) 1 8 . 7 4
    1 8
      7
      6
        1 4
        1 4
          0
```

⓯ 5.84 ;
```
        5 . 8 4
9 ) 5 2 . 5 6
    4 5
      7 5
      7 2
        3 6
        3 6
          0
```

11

정답과 해설

⑤ 일차 플러스 계산 연습 70~71쪽

1 7.14	**2** 3.95	**3** 5.37
4 2.86	**5** 4.59	**6** 8.93
7 6.91	**8** 8.46	**9** 3.27
10 4.77	**11** 7.35	**12** 2.52
13 6.87	**14** 2.53	**15** 3, 9.24
16 6, 1.34	**17** 3.73	**18** 8, 4.39
19 11.88, 9, 1.32	**20** 21.72, 6, 3.62	

7
```
      6.9 1
  8 ) 5 5.2 8
      4 8
      ─────
        7 2
        7 2
      ─────
          8
          8
      ─────
          0
```

8
```
      8.4 6
  3 ) 2 5.3 8
      2 4
      ─────
        1 3
        1 2
      ─────
          1 8
          1 8
      ─────
            0
```

13 (먹이의 양)÷(마릿수)=27.48÷4
$$=6.87 \text{ (kg)}$$

14 (먹이의 양)÷(마릿수)=12.65÷5
$$=2.53 \text{ (kg)}$$

17 (한 통에 담는 페인트의 양)
=(페인트의 양)÷(통 수)
=26.11÷7=3.73 (L)

19 (1분 동안 간 거리)=(간 거리)÷(걸린 시간)
=11.88÷9=1.32 (km)

⑥ 일차 기초 계산 연습 72~73쪽

❶ 7, 0.7	❷ 3, 0.3
❸ 4, 0.4	❹ 4, 0.4
❺ 9, 0.9	❻ 9, 0.9
❼ 7, 0.7	❽ 5, 0.5
❾ 8, 0.8	❿ 3, 0.3
⓫ 15, 15, 3, 0.3	⓬ 72, 72, 8, 0.8
⓭ 24, 24, 6, 0.6	⓮ 14, 14, 2, 0.2
⓯ 0.7	⓰ 0.5
⓱ 0.9	⓲ 0.8
⓳ 0.9	⓴ 0.4
㉑ 0.2	㉒ 0.6

12 $2.5 \div 5 = \dfrac{25}{10} \div 5 = \dfrac{25 \div 5}{10} = \dfrac{5}{10} = 0.5$

15 $4.2 \div 6 = \dfrac{42}{10} \div 6 = \dfrac{42 \div 6}{10} = \dfrac{7}{10} = 0.7$

16 $2.5 \div 5 = \dfrac{25}{10} \div 5 = \dfrac{25 \div 5}{10} = \dfrac{5}{10} = 0.5$

17 $7.2 \div 8 = \dfrac{72}{10} \div 8 = \dfrac{72 \div 8}{10} = \dfrac{9}{10} = 0.9$

18 $2.4 \div 3 = \dfrac{24}{10} \div 3 = \dfrac{24 \div 3}{10} = \dfrac{8}{10} = 0.8$

19 $3.6 \div 4 = \dfrac{36}{10} \div 4 = \dfrac{36 \div 4}{10} = \dfrac{9}{10} = 0.9$

20 $2.8 \div 7 = \dfrac{28}{10} \div 7 = \dfrac{28 \div 7}{10} = \dfrac{4}{10} = 0.4$

21 $1.8 \div 9 = \dfrac{18}{10} \div 9 = \dfrac{18 \div 9}{10} = \dfrac{2}{10} = 0.2$

22 $1.2 \div 2 = \dfrac{12}{10} \div 2 = \dfrac{12 \div 2}{10} = \dfrac{6}{10} = 0.6$

⑥ 일차 플러스 계산 연습 74~75쪽

1 $4.5 \div 5 = \dfrac{45}{10} \div 5 = \dfrac{45 \div 5}{10} = \dfrac{9}{10} = 0.9$

2 $3.6 \div 9 = \dfrac{36}{10} \div 9 = \dfrac{36 \div 9}{10} = \dfrac{4}{10} = 0.4$

3 $2.1 \div 3 = \dfrac{21}{10} \div 3 = \dfrac{21 \div 3}{10} = \dfrac{7}{10} = 0.7$

4 $2.4 \div 4 = \dfrac{24}{10} \div 4 = \dfrac{24 \div 4}{10} = \dfrac{6}{10} = 0.6$

5 $3.2 \div 8 = \dfrac{32}{10} \div 8 = \dfrac{32 \div 8}{10} = \dfrac{4}{10} = 0.4$

6 $1.6 \div 2 = \dfrac{16}{10} \div 2 = \dfrac{16 \div 2}{10} = \dfrac{8}{10} = 0.8$

7 0.6	**8** 0.3
9 0.2	**10** 0.9
11 0.8	**12** 0.4
13 0.4	**14** 0.4
15 3, 0.6	**16** 5, 0.5
17 0.9	**18** 7, 0.7
19 2.7, 3, 0.9	**20** 4.8, 6, 0.8

7 $3.6 \div 6 = \dfrac{36}{10} \div 6 = \dfrac{36 \div 6}{10} = \dfrac{6}{10} = 0.6$

8 $1.5 \div 5 = \dfrac{15}{10} \div 5 = \dfrac{15 \div 5}{10} = \dfrac{3}{10} = 0.3$

13 (한 개의 무게)=(채소의 무게)÷(채소의 수)
$$=1.6 \div 4 = 0.4 \text{ (kg)}$$

정답과 해설

17 (한 군데의 넓이)=(텃밭의 넓이)÷(군데 수)
$$=7.2÷8=0.9\,(m^2)$$

18 (한 군데의 넓이)=(화단의 넓이)÷(군데 수)
$$=4.9÷7=0.7\,(m^2)$$

19 (벽돌 한 개의 무게)=(벽돌의 무게)÷(벽돌 수)
$$=2.7÷3=0.9\,(kg)$$

20 (벽돌 한 개의 무게)=(벽돌의 무게)÷(벽돌 수)
$$=4.8÷6=0.8\,(kg)$$

⑲ 0.8 ;
```
      0 . 8
  9 ) 7 . 2
      7 2
          0
```

⑳ 0.5 ;
```
      0 . 5
  7 ) 3 . 5
      3 5
          0
```

㉑ 0.7 ;
```
      0 . 7
  4 ) 2 . 8
      2 8
          0
```

---

7 일차 **기초 계산 연습** *76~77쪽*

❶
```
      0 . 6
  3 ) 1 . 8
      1 8
          0
```

❷
```
      0 . 2
  8 ) 1 . 6
      1 6
          0
```

❸
```
      0 . 3
  4 ) 1 . 2
      1 2
          0
```

❹
```
      0 . 6
  9 ) 5 . 4
      5 4
          0
```

❺
```
      0 . 4
  7 ) 2 . 8
      2 8
          0
```

❻
```
      0 . 6
  6 ) 3 . 6
      3 6
          0
```

❼
```
      0 . 9
  2 ) 1 . 8
      1 8
          0
```

❽
```
      0 . 5
  5 ) 2 . 5
      2 5
          0
```

❾
```
      0 . 9
  8 ) 7 . 2
      7 2
          0
```

❿
```
      0 . 7
  5 ) 3 . 5
      3 5
          0
```

⓫
```
      0 . 3
  9 ) 2 . 7
      2 7
          0
```

⓬
```
      0 . 8
  3 ) 2 . 4
      2 4
          0
```

⓭
```
      0 . 8
  7 ) 5 . 6
      5 6
          0
```

⓮
```
      0 . 7
  2 ) 1 . 4
      1 4
          0
```

⓯
```
      0 . 6
  8 ) 4 . 8
      4 8
          0
```

⓰
```
      0 . 8
  4 ) 3 . 2
      3 2
          0
```

⓱
```
      0 . 9
  6 ) 5 . 4
      5 4
          0
```

⓲
```
      0 . 4
  9 ) 3 . 6
      3 6
          0
```

---

7 일차 **플러스 계산 연습** *78~79쪽*

1 0.2   **2** 0.9   **3** 0.9
4 0.6   **5** 0.4   **6** 0.6
7 0.8   **8** 0.9   **9** 0.3
10 0.4   **11** 0.8   **12** 0.4
13 0.4   **14** 0.3   **15** 9, 0.2
16 3, 0.7 **17** 0.3 **18** 7, 0.6
19 2.4, 8, 0.3 **20** 3.2, 4, 0.8

7
```
      0.8
  7 ) 5.6
      5 6
          0
```

8
```
      0.9
  3 ) 2.7
      2 7
          0
```

13
```
      0.4
  6 ) 2.4
      2 4
          0
```

14
```
      0.3
  4 ) 1.2
      1 2
          0
```

17 (한 봉지에 담아야 하는 호두의 무게)
　　=(호두의 무게)÷(봉지 수)
$$=1.8÷6=0.3\,(kg)$$

18 (한 봉지에 담아야 하는 땅콩의 무게)
　　=(땅콩의 무게)÷(봉지 수)
$$=4.2÷7=0.6\,(kg)$$

19 (한 도막의 길이)=(나무토막의 길이)÷(도막 수)
$$=2.4÷8=0.3\,(m)$$

20 (한 도막의 길이)=(나무토막의 길이)÷(도막 수)
$$=3.2÷4=0.8\,(m)$$

정답과 해설

정답과 해설

❶ 3.2   ❷ 6.5   ❸ 4.28
❹ 2.74   ❺ 0.9   ❻ 0.8

❼
```
        2 . 1
    4 ) 8 . 4
        8
          4
          4
          0
```

❽
```
        2 . 6
    7 ) 1 8 . 2
        1 4
          4 2
          4 2
          0
```

❾
```
        5 . 7 4
    3 ) 1 7 . 2 2
        1 5
          2 2
          2 1
            1 2
            1 2
            0
```

❿
```
        7 . 3 2
    9 ) 6 5 . 8 8
        6 3
          2 8
          2 7
            1 8
            1 8
            0
```

⓫
```
        0 . 6
    4 ) 2 . 4
        2 4
        0
```

⓬
```
        0 . 9
    8 ) 7 . 2
        7 2
        0
```

⓭ 4.3   ⓮ 9.2
⓯ 8.4   ⓰ 7.7
⓱ 3.58   ⓲ 9.37
⓳ 6.36   ⓴ 2.52
㉑ 7.77   ㉒ 9.83
㉓ 0.4   ㉔ 0.9
㉕ 0.5

❶ $6.4 \div 2 = \dfrac{64}{10} \div 2 = \dfrac{64 \div 2}{10} = \dfrac{32}{10} = 3.2$

❷ $32.5 \div 5 = \dfrac{325}{10} \div 5 = \dfrac{325 \div 5}{10} = \dfrac{65}{10} = 6.5$

❸ $25.68 \div 6 = \dfrac{2568}{100} \div 6 = \dfrac{2568 \div 6}{100} = \dfrac{428}{100} = 4.28$

❹ $24.66 \div 9 = \dfrac{2466}{100} \div 9 = \dfrac{2466 \div 9}{100} = \dfrac{274}{100} = 2.74$

❺ $4.5 \div 5 = \dfrac{45}{10} \div 5 = \dfrac{45 \div 5}{10} = \dfrac{9}{10} = 0.9$

❻ $6.4 \div 8 = \dfrac{64}{10} \div 8 = \dfrac{64 \div 8}{10} = \dfrac{8}{10} = 0.8$

1 2.8 ; 11.2, 4, 2.8 ; 2.8
2 0.7 ; 4.2, 6, 0.7 ; 0.7
3 1.23 ; 9.84, 8, 1.23 ; 1.23
4 2.7, 3, 0.9
5 29.76, 4, 7.44
6 15.48, 4, 3.87

4 (세로)＝(직사각형의 넓이)÷(가로)
$\qquad = 2.7 \div 3 = 0.9$ (m)

5 (가로)＝(직사각형의 넓이)÷(세로)
$\qquad = 29.76 \div 4 = 7.44$ (m)

6 (세로)＝(직사각형의 넓이)÷(가로)
$\qquad = 15.48 \div 4 = 3.87$ (cm)

융합1 7, 1.47 ; 1.47
창의2 0.9, 3.12, 3.21
코딩3 9, 7, 6, 4, 2.44

창의2
• $6.42 \div 2 = \dfrac{642}{100} \div 2 = \dfrac{642 \div 2}{100}$
$\qquad = \dfrac{321}{100} = 3.21$

• $28.08 \div 9 = \dfrac{2808}{100} \div 9 = \dfrac{2808 \div 9}{100}$
$\qquad = \dfrac{312}{100} = 3.12$

• $4.5 \div 5 = \dfrac{45}{10} \div 5 = \dfrac{45 \div 5}{10} = \dfrac{9}{10} = 0.9$

융합3 수 카드로 만들 수 있는 가장 큰 소수 두 자리 수
는 9.76입니다.
➡ $9.76 \div 4 = 2.44$

✳ 개념 ◯✕ 퀴즈 정답

3 소수의 나눗셈 (2)

✳ 개념 ○✕ 퀴즈

계산이 바르면 ◯에, 틀리면 ✕에 ◯표 하세요.

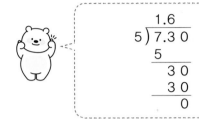

$$
\begin{array}{r}
1.6 \\
5\overline{)7.30} \\
5 \\
\hline
3\,0 \\
3\,0 \\
\hline
0 \\
\end{array}
$$

정답은 21쪽에서 확인하세요.

1 일차 기초 계산 연습 88~89쪽

❶ 72, 0.72
❷ 43, 0.43
❸ 36, 0.36
❹ 97, 0.97
❺ 69, 0.69
❻ 86, 0.86
❼ 95, 0.95
❽ 62, 0.62
❾ 48, 0.48
❿ 39, 0.39
⓫ 108, 108, 18, 0.18
⓬ 100, 315, 35, 0.35
⓭ 100, 100, 19, 0.19
⓮ 100, 34, 17, 0.17
⓯ 0.98
⓰ 0.86
⓱ 0.64
⓲ 0.23
⓳ 0.46
⓴ 0.19
㉑ 0.13
㉒ 0.27

1 일차 플러스 계산 연습 90~91쪽

1 $1.16 \div 4 = \dfrac{116}{100} \div 4 = \dfrac{116 \div 4}{100} = \dfrac{29}{100} = 0.29$

2 $2.56 \div 8 = \dfrac{256}{100} \div 8 = \dfrac{256 \div 8}{100} = \dfrac{32}{100} = 0.32$

3 $2.52 \div 3 = \dfrac{252}{100} \div 3 = \dfrac{252 \div 3}{100} = \dfrac{84}{100} = 0.84$

4 $6.57 \div 9 = \dfrac{657}{100} \div 9 = \dfrac{657 \div 9}{100} = \dfrac{73}{100} = 0.73$

5 $3.29 \div 7 = \dfrac{329}{100} \div 7 = \dfrac{329 \div 7}{100} = \dfrac{47}{100} = 0.47$

6 $1.38 \div 2 = \dfrac{138}{100} \div 2 = \dfrac{138 \div 2}{100} = \dfrac{69}{100} = 0.69$

7 0.25
8 0.57
9 0.82
10 0.54
11 0.91
12 0.39
13 2.88, 9, 0.32
14 1.65, 3, 0.55
15 0.76
16 8, 0.84
17 0.72, 2, 0.36
18 0.87, 3, 0.29

2 일차 기초 계산 연습 92~93쪽

①
$$
\begin{array}{r}
0.3\,1 \\
2\overline{)0.6\,2} \\
6 \\
\hline
2 \\
2 \\
\hline
0 \\
\end{array}
$$

②
$$
\begin{array}{r}
0.3\,2 \\
3\overline{)0.9\,6} \\
9 \\
\hline
6 \\
6 \\
\hline
0 \\
\end{array}
$$

③
$$
\begin{array}{r}
0.1\,9 \\
4\overline{)0.7\,6} \\
4 \\
\hline
3\,6 \\
3\,6 \\
\hline
0 \\
\end{array}
$$

④
$$
\begin{array}{r}
0.1\,2 \\
8\overline{)0.9\,6} \\
8 \\
\hline
1\,6 \\
1\,6 \\
\hline
0 \\
\end{array}
$$

⑤
$$
\begin{array}{r}
0.1\,7 \\
5\overline{)0.8\,5} \\
5 \\
\hline
3\,5 \\
3\,5 \\
\hline
0 \\
\end{array}
$$

⑥
$$
\begin{array}{r}
0.3\,7 \\
2\overline{)0.7\,4} \\
6 \\
\hline
1\,4 \\
1\,4 \\
\hline
0 \\
\end{array}
$$

⑦
$$
\begin{array}{r}
0.2\,4 \\
3\overline{)0.7\,2} \\
6 \\
\hline
1\,2 \\
1\,2 \\
\hline
0 \\
\end{array}
$$

⑧
$$
\begin{array}{r}
0.2\,3 \\
4\overline{)0.9\,2} \\
8 \\
\hline
1\,2 \\
1\,2 \\
\hline
0 \\
\end{array}
$$

⑨
```
      0 . 3 8
  2 )0 . 7 6
      6
      1 6
      1 6
          0
```

⑩
```
      0 . 6 3
  7 )4 . 4 1
      4 2
        2 1
        2 1
          0
```

⑪
```
      0 . 5 6
  2 )1 . 1 2
      1 0
      1 2
      1 2
          0
```

⑫
```
      0 . 2 4
  7 )1 . 6 8
      1 4
        2 8
        2 8
          0
```

⑬
```
      0 . 4 6
  6 )2 . 7 6
      2 4
        3 6
        3 6
          0
```

⑭
```
      0 . 2 6
  8 )2 . 0 8
      1 6
        4 8
        4 8
          0
```

⑮
```
      0 . 6 2
  9 )5 . 5 8
      5 4
        1 8
        1 8
          0
```

⑯
```
      0 . 3 8
  4 )1 . 5 2
      1 2
        3 2
        3 2
          0
```

⑰
```
      0 . 9 4
  7 )6 . 5 8
      6 3
        2 8
        2 8
          0
```

⑱
```
      0 . 5 2
  9 )4 . 6 8
      4 5
        1 8
        1 8
          0
```

⑲ 0.76 ;
```
      0 . 7 6
  8 )6 . 0 8
      5 6
        4 8
        4 8
          0
```

⑳ 0.85 ;
```
      0 . 8 5
  3 )2 . 5 5
      2 4
        1 5
        1 5
          0
```

㉑ 0.23 ;
```
      0 . 2 3
  6 )1 . 3 8
      1 2
        1 8
        1 8
          0
```

② 일차 **플러스 계산 연습** 94~95쪽

1 0.73	**2** 0.28
3 0.39	**4** 0.68
5 0.83	**6** 0.12
7 0.17	**8** 0.19
9 0.15	**10** 0.36
11 0.14	**12** 0.18
13 0.84, 6, 0.14	**14** 0.78, 3, 0.26
15 0.14	**16** 4, 0.16
17 1.86, 6, 0.31	**18** 2.34, 9, 0.26

③ 일차 **기초 계산 연습** 96~97쪽

❶ 45, 0.45	❷ 215, 2.15
❸ 85, 0.85	❹ 495, 4.95
❺ 76, 0.76	❻ 195, 1.95
❼ 55, 0.55	❽ 134, 1.34
❾ 75, 0.75	❿ 35, 0.35
⓫ 890, 890, 178, 1.78	
⓬ 540, 540, 135, 1.35	
⓭ 750, 750, 125, 1.25	
⓮ 920, 920, 115, 1.15	
⓯ 1.68	⓰ 1.15
⓱ 2.95	⓲ 1.44
⓳ 9.75	⓴ 4.65
㉑ 3.54	㉒ 1.75

③ 일차 플러스 계산 연습　98~99쪽

1 $9.4 \div 4 = \dfrac{940}{100} \div 4 = \dfrac{940 \div 4}{100} = \dfrac{235}{100} = 2.35$

2 $7.9 \div 5 = \dfrac{790}{100} \div 5 = \dfrac{790 \div 5}{100} = \dfrac{158}{100} = 1.58$

3 $63.6 \div 8 = \dfrac{6360}{100} \div 8 = \dfrac{6360 \div 8}{100} = \dfrac{795}{100} = 7.95$

4 $20.7 \div 6 = \dfrac{2070}{100} \div 6 = \dfrac{2070 \div 6}{100} = \dfrac{345}{100} = 3.45$

5 $29.2 \div 5 = \dfrac{2920}{100} \div 5 = \dfrac{2920 \div 5}{100} = \dfrac{584}{100} = 5.84$

6 $18.9 \div 2 = \dfrac{1890}{100} \div 2 = \dfrac{1890 \div 2}{100} = \dfrac{945}{100} = 9.45$

7 1.52　　　**8** 4.35
9 2.35　　　**10** 3.95
11 0.25　　　**12** 0.35
13 0.15　　　**14** 0.22
15 1.24　　　**16** 6, 1.15
17 20.4, 8, 2.55　　　**18** 17.9, 2, 8.95

---

⑤
```
        4 . 3 5
   2 ) 8 . 7 0
       8
         7
         6
         1 0
         1 0
             0
```

⑥
```
        1 . 3 2
   5 ) 6 . 6 0
       5
         1 6
         1 5
           1 0
           1 0
               0
```

⑦
```
        9 . 4 5
   6 ) 5 6 . 7 0
       5 4
         2 7
         2 4
           3 0
           3 0
               0
```

⑧
```
        7 . 9 5
   2 ) 1 5 . 9 0
       1 4
         1 9
         1 8
           1 0
           1 0
               0
```

⑨
```
        8 . 5 6
   5 ) 4 2 . 8 0
       4 0
         2 8
         2 5
           3 0
           3 0
               0
```

⑩
```
        3 . 9 5
   4 ) 1 5 . 8 0
       1 2
         3 8
         3 6
           2 0
           2 0
               0
```

⑪
```
        6 . 8 5
   8 ) 5 4 . 8 0
       4 8
         6 8
         6 4
           4 0
           4 0
               0
```

⑫
```
        4 . 3 5
   6 ) 2 6 . 1 0
       2 4
         2 1
         1 8
           3 0
           3 0
               0
```

⑬ 2.34 ;
```
        2 . 3 4
   5 ) 1 1 . 7 0
       1 0
         1 7
         1 5
           2 0
           2 0
               0
```

---

④ 일차 기초 계산 연습　100~101쪽

❶
```
        1 . 1 5
   8 ) 9 . 2 0
       8
       1 2
         8
         4 0
         4 0
             0
```

❷
```
        1 . 5 6
   5 ) 7 . 8 0
       5
       2 8
       2 5
         3 0
         3 0
             0
```

❸
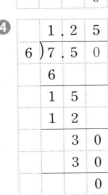
```
        1 . 3 5
   4 ) 5 . 4 0
       4
       1 4
       1 2
         2 0
         2 0
             0
```

❹
```
        1 . 2 5
   6 ) 7 . 5 0
       6
       1 5
       1 2
         3 0
         3 0
             0
```

17

⑭ 5.45 ;

		5	.	4	5
4	)	2	1	. 8	0
		2	0		
			1	8	
			1	6	
				2	0
				2	0
					0

⑮ 8.35 ;

		8	.	3	5
2	)	1	6	. 7	0
		1	6		
			7		
			6		
			1	0	
			1	0	
				0	

4 일차 플러스 계산 연습 *102~103쪽*

1 1.95 **2** 0.95 **3** 0.24 **4** 1.55
5 4.15 **6** 1.35 **7** 3.35 **8** 6.35
9 2.28 **10** 5.15
11 95.1, 15.85 **12** 19.84
13 93.8, 4, 23.45 **14** 73.5, 2, 36.75
15 8.65 **16** 4, 3.85
17 31.2, 5, 6.24 **18** 43.5, 6, 7.25

5 일차 기초 계산 연습 *104~105쪽*

❶ 104, 1.04 ❷ 109, 1.09
❸ 205, 2.05 ❹ 109, 1.09
❺ 108, 1.08 ❻ 208, 2.08
❼ 205, 2.05 ❽ 106, 1.06
❾ 309, 3.09 ❿ 705, 7.05
⓫ 915, 915, 305, 3.05
⓬ 436, 436, 109, 1.09
⓭ 618, 618, 206, 2.06
⓮ 515, 515, 103, 1.03
⓯ 1.08 ⓰ 3.06 ⓱ 1.05 ⓲ 2.07
⓳ 4.08 ⓴ 1.09 ㉑ 8.06 ㉒ 5.08

5 일차 플러스 계산 연습 *106~107쪽*

1 $24.24 \div 4 = \dfrac{2424}{100} \div 4 = \dfrac{2424 \div 4}{100} = \dfrac{606}{100} = 6.06$

2 $40.3 \div 5 = \dfrac{4030}{100} \div 5 = \dfrac{4030 \div 5}{100} = \dfrac{806}{100} = 8.06$

3 $27.24 \div 3 = \dfrac{2724}{100} \div 3 = \dfrac{2724 \div 3}{100} = \dfrac{908}{100} = 9.08$

4 $49.21 \div 7 = \dfrac{4921}{100} \div 7 = \dfrac{4921 \div 7}{100} = \dfrac{703}{100} = 7.03$

5 $32.72 \div 8 = \dfrac{3272}{100} \div 8 = \dfrac{3272 \div 8}{100} = \dfrac{409}{100} = 4.09$

6 $12.16 \div 2 = \dfrac{1216}{100} \div 2 = \dfrac{1216 \div 2}{100} = \dfrac{608}{100} = 6.08$

7 2.05 **8** 9.08 **9** 6.08 **10** 5.03
11 2.06 **12** 3.04 **13** 2.07 **14** 1.07
15 3, 1.08 **16** 12.24, 2.04
17 9.18, 9, 1.02 **18** 3.21, 3, 1.07

6 일차 기초 계산 연습 *108~109쪽*

❶

		1	.	0	7
4	)	4	.	2	8
		4			
				2	8
				2	8
					0

❷

		2	.	0	4
3	)	6	.	1	2
		6			
				1	2
				1	2
					0

❸

		1	.	0	8
8	)	8	.	6	4
		8			
				6	4
				6	4
					0

❹

		3	.	0	7
3	)	9	.	2	1
		9			
				2	1
				2	1
					0

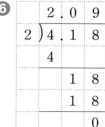

❺

		1	.	0	9
7	)	7	.	6	3
		7			
				6	3
				6	3
					0

❻

		2	.	0	9
2	)	4	.	1	8
		4			
				1	8
				1	8
					0

⑦
$$\begin{array}{r} 1.03 \\ 6\overline{)6.18} \\ 6 \\ \hline 18 \\ 18 \\ \hline 0 \end{array}$$

⑧
$$\begin{array}{r} 1.06 \\ 9\overline{)9.54} \\ 9 \\ \hline 54 \\ 54 \\ \hline 0 \end{array}$$

⑨
$$\begin{array}{r} 1.03 \\ 5\overline{)5.15} \\ 5 \\ \hline 15 \\ 15 \\ \hline 0 \end{array}$$

⑩
$$\begin{array}{r} 7.05 \\ 8\overline{)56.40} \\ 56 \\ \hline 40 \\ 40 \\ \hline 0 \end{array}$$

⑪
$$\begin{array}{r} 8.05 \\ 6\overline{)48.30} \\ 48 \\ \hline 30 \\ 30 \\ \hline 0 \end{array}$$

⑫
$$\begin{array}{r} 3.05 \\ 8\overline{)24.40} \\ 24 \\ \hline 40 \\ 40 \\ \hline 0 \end{array}$$

⑬
$$\begin{array}{r} 4.05 \\ 7\overline{)28.35} \\ 28 \\ \hline 35 \\ 35 \\ \hline 0 \end{array}$$

⑭
$$\begin{array}{r} 9.08 \\ 4\overline{)36.32} \\ 36 \\ \hline 32 \\ 32 \\ \hline 0 \end{array}$$

⑮
$$\begin{array}{r} 5.05 \\ 5\overline{)25.25} \\ 25 \\ \hline 25 \\ 25 \\ \hline 0 \end{array}$$

⑯
$$\begin{array}{r} 8.07 \\ 2\overline{)16.14} \\ 16 \\ \hline 14 \\ 14 \\ \hline 0 \end{array}$$

⑰
$$\begin{array}{r} 9.05 \\ 3\overline{)27.15} \\ 27 \\ \hline 15 \\ 15 \\ \hline 0 \end{array}$$

⑱
$$\begin{array}{r} 2.03 \\ 9\overline{)18.27} \\ 18 \\ \hline 27 \\ 27 \\ \hline 0 \end{array}$$

⑲ 2.06 ;
$$\begin{array}{r} 2.06 \\ 7\overline{)14.42} \\ 14 \\ \hline 42 \\ 42 \\ \hline 0 \end{array}$$

⑳ 5.09 ;
$$\begin{array}{r} 5.09 \\ 9\overline{)45.81} \\ 45 \\ \hline 81 \\ 81 \\ \hline 0 \end{array}$$

㉑ 7.08 ;
$$\begin{array}{r} 7.08 \\ 8\overline{)56.64} \\ 56 \\ \hline 64 \\ 64 \\ \hline 0 \end{array}$$

6 일차 플러스 계산 연습 110~111쪽

1 3.02	**2** 3.02	**3** 7.09
4 6.02	**5** 8.04	**6** 5.03
7 4.06	**8** 2.08	**9** 3.08
10 6.07	**11** 1.02	**12** 1.03
13 1.05	**14** 1.04	**15** 1.05
16 5.4, 1.08	**17** 5, 4.04	**18** 42.3, 6, 7.05

7 일차 기초 계산 연습 112~113쪽

❶ 11, 11, 55, 5.5	❷ 13, 13, 325, 3.25
❸ 9, 9, 18, 1.8	❹ 34, 34, 68, 6.8
❺ 19, 19, 475, 4.75	❻ 3, 3, 6, 0.6
❼ 6, 6, 24, 0.24	❽ 9, 9, 45, 0.45
❾ 4, 4, 16, 0.16	
❿ 0.75	⓫ 0.625
⓬ 0.18	⓭ 0.8
⓮ 0.28	⓯ 0.15
⓰ 0.375	⓱ 0.75

1 $42 \div 24 = \dfrac{42}{24} = \dfrac{7}{4} = \dfrac{7 \times 25}{4 \times 25} = \dfrac{175}{100} = 1.75$

2 $35 \div 40 = \dfrac{35}{40} = \dfrac{7}{8} = \dfrac{7 \times 125}{8 \times 125} = \dfrac{875}{1000} = 0.875$

3 $20 \div 16 = \dfrac{20}{16} = \dfrac{5}{4} = \dfrac{5 \times 25}{4 \times 25} = \dfrac{125}{100} = 1.25$

4 $24 \div 15 = \dfrac{24}{15} = \dfrac{8}{5} = \dfrac{8 \times 2}{5 \times 2} = \dfrac{16}{10} = 1.6$

5 $27 \div 12 = \dfrac{27}{12} = \dfrac{9}{4} = \dfrac{9 \times 25}{4 \times 25} = \dfrac{225}{100} = 2.25$

6 $72 \div 16 = \dfrac{72}{16} = \dfrac{9}{2} = \dfrac{9 \times 5}{2 \times 5} = \dfrac{45}{10} = 4.5$

7 1.5   **8** 8.4

9 2.75   **10** 2.5

11 0.5   **12** 0.45

13 1.5   **14** 1.5

15 5, 2.2   **16** 14, 3.5

17 10, 4, 2.5   **18** 27, 5, 5.4

① $2 \overline{)7.0}$ = 3.5

② $2 \overline{)9.0}$ = 4.5

③ $5 \overline{)6.0}$ = 1.2

④ $6 \overline{)9.0}$ = 1.5

⑤ $5 \overline{)9.0}$ = 1.8

⑥ $2 \overline{)5.0}$ = 2.5

⑦ $5 \overline{)8.0}$ = 1.6

⑧ $2 \overline{)3.0}$ = 1.5

⑨ $5 \overline{)7.0}$ = 1.4

⑩ $8 \overline{)12.0}$ = 1.5

⑪ $5 \overline{)16.0}$ = 3.2

⑫ $8 \overline{)76.0}$ = 9.5

⑬ $15 \overline{)18.0}$ = 1.2

⑭ $25 \overline{)8.00}$ = 0.32

⑮ $25 \overline{)35.0}$ = 1.4

⑯ $20 \overline{)11.00}$ = 0.55

⑰ $50 \overline{)18.00}$ = 0.36

⑱ $20 \overline{)13.00}$ = 0.65

⑲ 0.25 ;

```
        0 . 2 5
  4 8 ) 1 2 . 0 0
        9 6
        2 4 0
        2 4 0
            0
```

⑳ 0.75 ;

```
        0 . 7 5
  2 4 ) 1 8 . 0 0
        1 6 8
        1 2 0
        1 2 0
            0
```

⑤

```
        1 . 1 5
    8 ) 9 . 2 0
        8
        1 2
          8
          4 0
          4 0
            0
```

⑥

```
        6 . 0 5
    4 ) 2 4 . 2 0
        2 4
            2 0
            2 0
             0
```

⑦

```
        4 . 0 6
    5 ) 2 0 . 3 0
        2 0
            3 0
            3 0
             0
```

⑧

```
          1 . 6
   1 4 ) 2 4 . 0
          1 5
            9 0
            9 0
             0
```

⑨

```
        2 . 5
    6 ) 1 5 . 0
        1 2
          3 0
          3 0
           0
```

⑩ 0.94 ⑪ 1.46
⑫ 8.05 ⑬ 0.86
⑭ 0.73 ⑮ 0.56
⑯ 0.69 ⑰ 3.75
⑱ 1.85 ⑲ 1.35
⑳ 2.03 ㉑ 3.07

㉒ 1.04 ㉓ 0.625 ㉔ 3.25 ㉕ 7.5

⑧ 일차 플러스 계산 연습 118~119쪽

1 2.25 **2** 2.4 **3** 2.5 **4** 0.66
5 0.8 **6** 3.25 **7** 1.75 **8** 1.25
9 1.08 **10** 0.95
11 3, 1.5 **12** 5, 1.25
13 6, 5, 1.2 **14** 3, 4, 0.75
15 21, 1.5 **16** 18, 1.2
17 34, 4, 8.5 **18** 62, 8, 7.75

평가 SPEED 연산력 TEST 120~121쪽

❶

```
        0 . 3 7
    8 ) 2 . 9 6
        2 4
          5 6
          5 6
           0
```

❷

```
        0 . 8 9
    5 ) 4 . 4 5
        4 0
          4 5
          4 5
           0
```

❸

```
        0 . 8 3
    7 ) 5 . 8 1
        5 6
          2 1
          2 1
           0
```

❹

```
        1 . 2 5
    6 ) 7 . 5 0
        6
        1 5
        1 2
          3 0
          3 0
           0
```

특강 문장제 문제 도전하기 122~123쪽

1 0.57 ; 5.13, 9, 0.57 ; 0.57
2 8.76 ; 43.8, 5, 8.76 ; 8.76
3 2.03 ; 14.21, 7, 2.03 ; 2.03
4 2.82, 3, 0.94   **5** 5.4, 5, 1.08
6 19, 4, 4.75

특강 창의·융합·코딩·도전하기 124~125쪽

창의**1** 3, 9.05, 9.05 ; 5, 9.08, 9.08 ; 호야
코딩**2** 3.28
창의**3** 9, 8, 4, 2.45 ; 2.45

❋ 개념 ○✕ 퀴즈 정답

 ○   ✕

4 비와 비율

✳ 개념 ○✕ 퀴즈

옳으면 ○에, 틀리면 ✕에 ○표 하세요.

4 : 7은 4와 7의 비라고 읽을 수 있습니다.

정답은 28쪽에서 확인하세요.

1 일차 · 기초 계산 연습 · 128~129쪽

❶ (1) 2, 5   (2) 2, 5   ❷ (1) 6, 7   (2) 7, 6
❸ (1) 4, 3   (2) 3, 4   ❹ (1) 6, 1   (2) 6, 1
❺ 3, 5   ❻ 4, 7
❼ 8, 3   ❽ 4, 9
❾ 6, 5   ❿ 9, 10
⓫ 2, 13   ⓬ 11, 5

❶ (1) (돌고래 수) : (토끼 수)=2 : 5
   (2) (돌고래 수) : (토끼 수)=2 : 5

❷ (1) (토끼 수) : (돌고래 수)=6 : 7
   (2) (돌고래 수) : (토끼 수)=7 : 6

❸ (1) (펭귄 수) : (곰 수)=4 : 3
   (2) (곰 수) : (펭귄 수)=3 : 4

❹ (1) (펭귄 수) : (곰 수)=6 : 1
   (2) (펭귄 수) : (곰 수)=6 : 1

❺ (수박 수) : (귤 수)=3 : 5

❻ (참외 수) : (토마토 수)=4 : 7

❼ (딸기 수) : (바나나 수)=8 : 3

❽ (파인애플 수) : (체리 수)=4 : 9

❾ (참외 수) : (감 수)=6 : 5

❿ (사과 수) : (귤 수)=9 : 10

⓫ (파인애플 수) : (딸기 수)=2 : 13

⓬ (감 수) : (수박 수)=11 : 5

1 일차 · 플러스 계산 연습 · 130~131쪽

1 4 ; 4 ; 4   **2** 5 ; 5 ; 5
3 6 ; 1 ; 6, 1   **4** 7 ; 7, 9 ; 7
5 8, 3   **6** 4, 9
7 6, 11   **8** 7, 10
9 12, 13   **10** 14, 5
11 13, 8   **12** 14, 11
13 12, 7   **14** 9, 10
15 13, 15   **16** 17, 10
17 11, 6   **18** 9, 14

12 가로에 대한 세로의 비 ➡ (세로) : (가로)=14 : 11

13 높이에 대한 밑변의 길이의 비
   ➡ (밑변의 길이) : (높이)=12 : 7

14 높이와 밑변의 길이의 비
   ➡ (높이) : (밑변의 길이)=9 : 10

16 밑변의 길이와 높이의 비
   ➡ (밑변의 길이) : (높이)=17 : 10

17 감자 수에 대한 호박 수의 비
   ➡ (호박 수) : (감자 수)=11 : 6

18 오이 수와 당근 수의 비
   ➡ (오이 수) : (당근 수)=9 : 14

2 일차 · 기초 계산 연습 · 132~133쪽

❶ 6, 5 ; $\frac{5}{6}$ ❷ 9, 7 ; $\frac{7}{9}$

❸ 13, 8 ; $\frac{8}{13}$ ❹ 19, 14 ; $\frac{14}{19}$

❺ 17, 12 ; $\frac{12}{17}$ ❻ 16, 9 ; $\frac{9}{16}$

❼ $\frac{2}{7}$ ❽ $\frac{13}{20}$ ❾ $\frac{5}{12}$

❿ $\frac{5}{8}$ ⓫ $\frac{9}{16}$ ⓬ $\frac{2}{9}$

⓭ $\frac{3}{10}$ ⓮ $\frac{9}{14}$ ⓯ $\frac{8}{11}$

⓰ $\frac{8}{9}$ ⓱ $\frac{7}{12}$ ⓲ $\frac{16}{21}$

⓳ $\frac{11}{15}$ ⓴ $\frac{10}{19}$ ㉑ $\frac{13}{25}$

⑧ 13 대 20 ➡ 13 : 20 ➡ $\dfrac{13}{20}$

⑨ 12에 대한 5의 비 ➡ 5 : 12 ➡ $\dfrac{5}{12}$

⑩ 5와 8의 비 ➡ 5 : 8 ➡ $\dfrac{5}{8}$

⑪ 9와 16의 비 ➡ 9 : 16 ➡ $\dfrac{9}{16}$

⑫ 2 대 9 ➡ 2 : 9 ➡ $\dfrac{2}{9}$

⑬ 3의 10에 대한 비 ➡ 3 : 10 ➡ $\dfrac{3}{10}$

⑭ 14에 대한 9의 비 ➡ 9 : 14 ➡ $\dfrac{9}{14}$

⑪ (사과 수) : (음료수 수)＝4 : 7 ➡ $\dfrac{4}{7}$

⑫ (도넛 수) : (귤 수)＝5 : 6 ➡ $\dfrac{5}{6}$

⑬ (김밥 수) : (사과 수)＝9 : 4 ➡ $\dfrac{9}{4}=2\dfrac{1}{4}$

⑭ (귤 수) : (김밥 수)＝6 : 9 ➡ $\dfrac{6}{9}=\dfrac{2}{3}$

⑮ (남학생 수) : (여학생 수)＝11 : 14 ➡ $\dfrac{11}{14}$

⑯ (여학생 수) : (남학생 수)＝12 : 17 ➡ $\dfrac{12}{17}$

2 일차 플러스 계산 연습   134～135쪽

1 $\dfrac{3}{10}$ **2** $\dfrac{1}{3}$ **3** $\dfrac{4}{11}$

4 $\dfrac{7}{8}$ **5** $\dfrac{8}{3}\left(=2\dfrac{2}{3}\right)$ **6** $\dfrac{10}{17}$

7 $\dfrac{5}{9}$ **8** $\dfrac{1}{3}$ **9** $\dfrac{1}{4}$

10 $\dfrac{7}{12}$ **11** $\dfrac{4}{7}$ **12** $\dfrac{5}{6}$

13 $\dfrac{9}{4}\left(=2\dfrac{1}{4}\right)$ **14** $\dfrac{2}{3}$ **15** $\dfrac{11}{14}$

16 $\dfrac{12}{17}$

3 4의 11에 대한 비 ➡ 4 : 11 ➡ $\dfrac{4}{11}$

4 16에 대한 14의 비 ➡ 14 : 16 ➡ $\dfrac{14}{16}=\dfrac{7}{8}$

5 8 대 3 ➡ 8 : 3 ➡ $\dfrac{8}{3}=2\dfrac{2}{3}$

6 10과 17의 비 ➡ 10 : 17 ➡ $\dfrac{10}{17}$

7 $\dfrac{(색칠한 칸수)}{(전체 칸수)}=\dfrac{5}{9}$

8 $\dfrac{(색칠한 칸수)}{(전체 칸수)}=\dfrac{3}{9}=\dfrac{1}{3}$

9 $\dfrac{(색칠한 칸수)}{(전체 칸수)}=\dfrac{3}{12}=\dfrac{1}{4}$

10 $\dfrac{(색칠한 칸수)}{(전체 칸수)}=\dfrac{7}{12}$

3 일차 기초 계산 연습   136～137쪽

❶ 1, 5, 0.5   ❷ 7, 35, 0.35

❸ 9 ; 9, 0.9   ❹ 25 ; 6, 24, 0.24

❺ 5, 4 ; 5, 125, 1.25

❻ 3, 8 ; 3, 375, 0.375

❼ 0.4   ❽ 0.65

❾ 0.17   ❿ 0.625   ⑪ 0.75

⑫ 0.36   ⑬ 0.09   ⑭ 0.22

⑮ 0.32   ⑯ 2.5   ⑰ 1.75

⑱ 0.048   ⑲ 1.26   ⑳ 1.65

⑨ 17 대 100 ➡ 17 : 100 ➡ $\dfrac{17}{100}=0.17$

⑩ 5와 8의 비 ➡ 5 : 8 ➡ $\dfrac{5}{8}=\dfrac{625}{1000}=0.625$

⑪ 4에 대한 3의 비 ➡ 3 : 4 ➡ $\dfrac{3}{4}=\dfrac{75}{100}=0.75$

⑫ 25에 대한 9의 비 ➡ 9 : 25 ➡ $\dfrac{9}{25}=\dfrac{36}{100}=0.36$

⑬ 9의 100에 대한 비 ➡ 9 : 100 ➡ $\dfrac{9}{100}=0.09$

⑭ 11의 50에 대한 비 ➡ 11 : 50

➡ $\dfrac{11}{50}=\dfrac{22}{100}=0.22$

⑮ 8과 25의 비 ➡ 8 : 25 ➡ $\dfrac{8}{25}=\dfrac{32}{100}=0.32$

⑯ 5 대 2 ➡ 5 : 2 ➡ $\dfrac{5}{2}=\dfrac{25}{10}=2.5$

⑰ 7의 4에 대한 비 ➡ 7 : 4 ➡ $\dfrac{7}{4}=\dfrac{175}{100}=1.75$

⑱ 6의 125에 대한 비 ➡ 6 : 125

➡ $\dfrac{6}{125} = \dfrac{48}{1000} = 0.048$

⑲ 63과 50의 비 ➡ 63 : 50 ➡ $\dfrac{63}{50} = \dfrac{126}{100} = 1.26$

⑳ 20에 대한 33의 비 ➡ 33 : 20

➡ $\dfrac{33}{20} = \dfrac{165}{100} = 1.65$

---

③ 일차 ┃ 플러스 계산 연습 138~139쪽

1 0.8	**2** 0.875
3 0.44	**4** 0.625
5 0.65	**6** 1.8
7 0.1	**8** 0.7
9 0.15	**10** 0.8
11 50, 0.42	**12** 3, 0.375
13 20, 1.05	**14** 8, 0.32
15 $\dfrac{3}{50}$, 0.06	**16** $\dfrac{25}{20}$, 1.25
17 83, 0.415	**18** 25, 0.72

2 7 대 8 ➡ 7 : 8 ➡ $\dfrac{7}{8} = \dfrac{875}{1000} = 0.875$

3 11과 25의 비 ➡ 11 : 25 ➡ $\dfrac{11}{25} = \dfrac{44}{100} = 0.44$

4 16에 대한 10의 비 ➡ 10 : 16

➡ $\dfrac{10}{16} = \dfrac{5}{8} = \dfrac{625}{1000} = 0.625$

5 13의 20에 대한 비

➡ 13 : 20 ➡ $\dfrac{13}{20} = \dfrac{65}{100} = 0.65$

6 9와 5의 비 ➡ 9 : 5 ➡ $\dfrac{9}{5} = \dfrac{18}{10} = 1.8$

9 $\dfrac{(색칠한\ 칸수)}{(전체\ 칸수)} = \dfrac{3}{20} = \dfrac{15}{100} = 0.15$

10 $\dfrac{(색칠한\ 칸수)}{(전체\ 칸수)} = \dfrac{16}{20} = \dfrac{8}{10} = 0.8$

11 (가위 수) : (지우개 수)=21 : 50

➡ $\dfrac{21}{50} = \dfrac{42}{100} = 0.42$

12 (수첩 수) : (필통 수)=3 : 8

➡ $\dfrac{3}{8} = \dfrac{375}{1000} = 0.375$

---

13 (가위 수) : (테이프 수)=21 : 20

➡ $\dfrac{21}{20} = \dfrac{105}{100} = 1.05$

14 (필통 수) : (풀 수)=8 : 25

➡ $\dfrac{8}{25} = \dfrac{32}{100} = 0.32$

15 (수첩 수) : (지우개 수)=3 : 50

➡ $\dfrac{3}{50} = \dfrac{6}{100} = 0.06$

16 (풀 수) : (테이프 수)=25 : 20

➡ $\dfrac{25}{20} = \dfrac{125}{100} = 1.25$

17 (참기름 양) : (식용유 양)=83 : 200

➡ $\dfrac{83}{200} = \dfrac{415}{1000} = 0.415$

18 (식초 양) : (간장 양)=18 : 25

➡ $\dfrac{18}{25} = \dfrac{72}{100} = 0.72$

---

④ 일차 ┃ 기초 계산 연습 140~141쪽

❶ $\dfrac{1}{4}$, 3		❷ 28, 20
❸ 24, $\dfrac{4}{3}$, 32		❹ 40, $\dfrac{7}{8}$, 35
❺ 0.3, 6		❻ 35, 21
❼ 8, 1.5, 12		❽ 50, 0.26, 13
❾ 4	❿ 12	⓫ 9
⓬ 36	⓭ 72	⓮ 77
⓯ 3	⓰ 14	⓱ 21
⓲ 2	⓳ 9	⓴ 36

---

④ 일차 ┃ 플러스 계산 연습 142~143쪽

1 25	**2** 48	**3** 36
4 13	**5** 100	**6** 250
7 180	**8** 60	**9** 300
10 480	**11** 360	**12** 15
13 52, 24	**14** 36	**15** 25, 19
16 30, 9	**17** $\dfrac{12}{17}$, 72	**18** 250, 90
19 0.225, 45		

5 (비교하는 양)=(기준량)×(비율)

➡ $200 \times \dfrac{1}{2} = 100$(원)

6 $400 \times \dfrac{5}{8} = 250$(원)

7 $700 \times \dfrac{9}{35} = 180$(원)

8 $300 \times 0.2 = 60$(원)

9 $600 \times 0.5 = 300$(원)

10 $800 \times 0.6 = 480$(원)

11 $500 \times 0.72 = 360$(원)

5일차 **기초 계산 연습** **144~145쪽**

❶ 9	❷ 2, 14	❸ 5
❹ 8, 25	❺ 3, 30	❻ 2, 20
❼ 36	❽ 20	❾ 48
❿ 16	⓫ 96	⓬ 15
⓭ 10	⓮ 20	⓯ 25
⓰ 36	⓱ 8	⓲ 40

❽ 기준량을 □라 하면 $\dfrac{3}{4} = \dfrac{15}{\square}$ ➡ □=$4 \times 5 = 20$

❾ $\dfrac{7}{12} = \dfrac{28}{\square}$ ➡ □=$12 \times 4 = 48$

❿ $\dfrac{7}{8} = \dfrac{14}{\square}$ ➡ □=$8 \times 2 = 16$

⓫ $\dfrac{9}{16} = \dfrac{54}{\square}$ ➡ □=$16 \times 6 = 96$

⓬ $\dfrac{8}{5} = \dfrac{24}{\square}$ ➡ □=$5 \times 3 = 15$

⓭ $0.2 = \dfrac{2}{10} = \dfrac{1}{5}$이므로

$\dfrac{1}{5} = \dfrac{2}{\square}$ ➡ □=$5 \times 2 = 10$

⓮ $0.8 = \dfrac{8}{10} = \dfrac{4}{5}$이므로

$\dfrac{4}{5} = \dfrac{16}{\square}$ ➡ □=$5 \times 4 = 20$

⓯ $0.16 = \dfrac{16}{100} = \dfrac{4}{25}$이므로

$\dfrac{4}{25} = \dfrac{4}{\square}$ ➡ □=25

⓰ $0.25 = \dfrac{25}{100} = \dfrac{1}{4}$이므로

$\dfrac{1}{4} = \dfrac{9}{\square}$ ➡ □=$4 \times 9 = 36$

⓱ $0.375 = \dfrac{375}{1000} = \dfrac{3}{8}$이므로

$\dfrac{3}{8} = \dfrac{3}{\square}$ ➡ □=8

⓲ $1.15 = \dfrac{115}{100} = \dfrac{23}{20}$이므로

$\dfrac{23}{20} = \dfrac{46}{\square}$ ➡ □=$20 \times 2 = 40$

5일차 **플러스 계산 연습** **146~147쪽**

1 28	**2** 44	**3** 30
4 32	**5** 24	**6** 72
7 36	**8** 45	**9** 15
10 50	**11** 40	**12** 600
13 800	**14** 750	**15** 900
16 40	**17** 280	**18** 400
19 450, 1600		

5 $\dfrac{3}{8} = \dfrac{9}{\square}$ ➡ □=$8 \times 3 = 24$(개)

6 $\dfrac{2}{9} = \dfrac{16}{\square}$ ➡ □=$9 \times 8 = 72$(개)

8 $0.4 = \dfrac{4}{10} = \dfrac{2}{5}$이므로

$\dfrac{2}{5} = \dfrac{18}{\square}$ ➡ □=$5 \times 9 = 45$(개)

9 $0.2 = \dfrac{2}{10} = \dfrac{1}{5}$이므로

$\dfrac{1}{5} = \dfrac{3}{\square}$ ➡ □=$5 \times 3 = 15$(개)

10 $0.68 = \dfrac{68}{100} = \dfrac{17}{25}$이므로

$\dfrac{17}{25} = \dfrac{34}{\square}$ ➡ □=$25 \times 2 = 50$(개)

11 $0.35 = \dfrac{35}{100} = \dfrac{7}{20}$이므로

$\dfrac{7}{20} = \dfrac{14}{\square}$ ➡ □=$20 \times 2 = 40$(개)

12 $0.1 = \dfrac{1}{10}$이므로

$\dfrac{1}{10} = \dfrac{60}{\square}$ ➡ □=$10 \times 60 = 600$ (kg)

13 $0.7=\dfrac{7}{10}$이므로

$\dfrac{7}{10}=\dfrac{560}{\square}$ ➡ $\square=10\times80=800\,(\text{kg})$

14 $0.16=\dfrac{16}{100}=\dfrac{4}{25}$이므로

$\dfrac{4}{25}=\dfrac{120}{\square}$ ➡ $\square=25\times30=750\,(\text{kg})$

15 $0.25=\dfrac{25}{100}=\dfrac{1}{4}$이므로

$\dfrac{1}{4}=\dfrac{225}{\square}$ ➡ $\square=4\times225=900\,(\text{kg})$

6 일차 기초 계산 연습 148~149쪽

① 80 ② 64
③ 325, 65 ④ 630, 90
⑤ $\dfrac{1060}{10}$, 106 ⑥ $\dfrac{480}{12}$, 40
⑦ 80 ⑧ 130
⑨ 2600, 200 ⑩ $\dfrac{8000}{25}$, 320
⑪ 0.09 ⑫ 0.1
⑬ 40, 0.2 ⑭ $\dfrac{25}{500}$, 0.05

6 일차 플러스 계산 연습 150~151쪽

1 $\dfrac{30}{120}=0.25$ **2** $\dfrac{120}{200}=0.6$

3 $\dfrac{105}{250}=0.42$ **4** 75

5 120 **6** 65

7 47 **8** 15800

9 2960 **10** 4300

11 2750 **12** 28, 0.7

13 $\dfrac{27}{150}$, 0.18

1 (비율)$=\dfrac{(\text{포도 원액 양})}{(\text{포도주스 양})}=\dfrac{30}{120}=0.25$

4 (비율)$=\dfrac{(\text{간 거리})}{(\text{걸린 시간})}=\dfrac{300}{4}=75$

8 (비율)$=\dfrac{(\text{서울의 인구})}{(\text{서울의 넓이})}=\dfrac{9480000}{600}=15800$

9 (비율)$=\dfrac{(\text{광주의 인구})}{(\text{광주의 넓이})}=\dfrac{1480000}{500}=2960$

7 일차 기초 계산 연습 152~153쪽

① 33 ② 58 ③ 100, 35
④ 100, 64 ⑤ 40 ⑥ 100, 70
⑦ 100, 57 ⑧ 100, 129 ⑨ 19
⑩ 90 ⑪ 80 ⑫ 25
⑬ 84 ⑭ 74 ⑮ 60
⑯ 12 ⑰ 73 ⑱ 52
⑲ 145 ⑳ 180

7 일차 플러스 계산 연습 154~155쪽

1 4 **2** 46
3 0.375, 37.5 **4** 0.85, 85
5 $\dfrac{4}{5}$, 80 **6** $\dfrac{91}{100}$, 91
7 52 **8** 64 **9** 90
10 25 **11** 14 **12** 20
13 50 **14** 16 **15** 30
16 35 **17** $\dfrac{118}{200}$, 59 **18** $\dfrac{192}{300}$, 64

4 $\dfrac{17}{20}=\dfrac{85}{100}=0.85$ ➡ $0.85\times100=85\,(\%)$

6 $0.91=\dfrac{91}{100}$ ➡ $\dfrac{91}{100}\times100=91\,(\%)$

7 $\dfrac{(\text{색칠한 칸수})}{(\text{전체 칸수})}=\dfrac{52}{100}$ ➡ $52\,\%$

8 $\dfrac{(\text{색칠한 칸수})}{(\text{전체 칸수})}=\dfrac{64}{100}$ ➡ $64\,\%$

9 $\dfrac{(\text{색칠한 칸수})}{(\text{전체 칸수})}=\dfrac{9}{10}=\dfrac{90}{100}$ ➡ $90\,\%$

10 $\dfrac{(\text{색칠한 칸수})}{(\text{전체 칸수})}=\dfrac{2}{8}=\dfrac{1}{4}=\dfrac{25}{100}$ ➡ $25\,\%$

11 $\dfrac{7}{50}\times100=14\,(\%)$

12 $\dfrac{10}{50}\times100=20\,(\%)$

13 $\dfrac{25}{50}\times100=50\,(\%)$

14 $\dfrac{8}{50}\times100=16\,(\%)$

⑧ 일차 기초 계산 연습 156~157쪽

❶ 3
❷ 20, 1
❸ 38, $\dfrac{19}{50}$
❹ 92, $\dfrac{23}{25}$
❺ 52, $\dfrac{13}{25}$
❻ 85, $\dfrac{17}{20}$
❼ 0.04
❽ 0.57
❾ 69, 0.69
❿ 99, 0.99
⓫ 102, 1.02
⓬ 137, 1.37
⓭ $\dfrac{7}{100}$
⓮ $\dfrac{11}{100}$
⓯ $\dfrac{3}{20}$
⓰ $\dfrac{11}{50}$
⓱ $\dfrac{14}{25}$
⓲ $\dfrac{3}{4}$
⓳ $\dfrac{63}{100}$
⓴ $\dfrac{47}{50}$
㉑ 0.05
㉒ 0.13
㉓ 0.21
㉔ 0.3
㉕ 0.49
㉖ 1.84
㉗ 1.4
㉘ 0.78

⑧ 일차 플러스 계산 연습 158~159쪽

1 (점 잇기)

2 (점 잇기)

3 0.17, $\dfrac{17}{100}$
4 0.08, $\dfrac{2}{25}$
5 0.3, $\dfrac{3}{10}$
6 0.45, $\dfrac{9}{20}$
7 0.69, $\dfrac{69}{100}$
8 1.25, $\dfrac{5}{4}\left(=1\dfrac{1}{4}\right)$

9 예 (색칠 그림)
10 예 (색칠 그림)
11 예 (색칠 그림)
12 예 (색칠 그림)

13 24, 6
14 55, $\dfrac{11}{20}$
15 86, 0.86
16 119, 1.19

3 $17\% \Rightarrow \dfrac{17}{100} = 0.17$

4 $8\% \Rightarrow \dfrac{8}{100} = \dfrac{2}{25} = 0.08$

5 $30\% \Rightarrow \dfrac{30}{100} = \dfrac{3}{10} = 0.3$

6 $45\% \Rightarrow \dfrac{45}{100} = \dfrac{9}{20} = 0.45$

7 $69\% \Rightarrow \dfrac{69}{100} = 0.69$

8 $125\% \Rightarrow \dfrac{125}{100} = \dfrac{5}{4} = 1\dfrac{1}{4} = 1.25$

9 $50\% \Rightarrow \dfrac{50}{100} = \dfrac{1}{2}$이므로 2칸 중 1칸에 색칠합니다.

10 $25\% \Rightarrow \dfrac{25}{100} = \dfrac{1}{4}$이므로 4칸 중 1칸에 색칠합니다.

11 $80\% \Rightarrow \dfrac{80}{100} = \dfrac{4}{5}$이므로 5칸 중 4칸에 색칠합니다.

12 $65\% \Rightarrow \dfrac{65}{100} = \dfrac{13}{20}$이므로 20칸 중 13칸에 색칠합니다.

⑨ 일차 기초 계산 연습 160~161쪽

❶ 10
❷ 450, 30
❸ 600, 15
❹ $\dfrac{1300}{5000}$, 26
❺ $\dfrac{350}{7000}$, 5
❻ 70
❼ 28, 35
❽ $\dfrac{48}{200}$, 24
❾ $\dfrac{51}{300}$, 17
❿ 6
⓫ 80, 32
⓬ $\dfrac{54}{360}$, 15
⓭ $\dfrac{110}{500}$, 22

⑨ 일차 플러스 계산 연습 162~163쪽

1 15
2 30
3 25
4 19
5 400 ; 400, 20
6 4800 ; $\dfrac{4800}{12000} \times 100 = 40(\%)$
7 5600 ; $\dfrac{5600}{16000} \times 100 = 35(\%)$
8 30
9 45
10 40
11 20
12 65
13 32, 80
14 175, 35
15 $\dfrac{390}{650}$, 60

1 (설탕물의 진하기)$=\dfrac{(설탕\ 양)}{(설탕물\ 양)}\times100$

$\qquad\qquad\qquad=\dfrac{30}{200}\times100=15\ (\%)$

2 $\dfrac{75}{250}\times100=30\ (\%)$

5 (할인 금액)$=2000-1600=400(원)$

$\qquad\Rightarrow$ (할인율)$=\dfrac{400}{2000}\times100=20\ (\%)$

8 (비율)$=\dfrac{(키위청\ 양)}{(키위차\ 양)}\times100$

$\qquad\qquad=\dfrac{90}{300}\times100=30\ (\%)$

9 (비율)$=\dfrac{(오렌지청\ 양)}{(오렌지차\ 양)}\times100$

$\qquad\qquad=\dfrac{162}{360}\times100=45\ (\%)$

평가 SPEED 연산력 TEST 164~165쪽

❶ 3, 7	❷ 5, 8
❸ 9, 14	❹ 13, 10
❺ $\dfrac{7}{25}$, 0.28	❻ $\dfrac{2}{5}$, 0.4
❼ $\dfrac{9}{200}$, 0.045	❽ $\dfrac{63}{50}\left(=1\dfrac{13}{50}\right)$, 1.26
❾ 25	❿ 51
⑪ 2400	⑫ 4500
⑬ 75	⑭ 35
⑮ 21	⑯ 9
⑰ $\dfrac{2}{25}$	⑱ $\dfrac{31}{50}$
⑲ 78	⑳ 95
㉑ 21	㉒ 45

❾ $30\times\dfrac{5}{6}=25(개)$

❿ $150\times0.34=51(개)$

⑪ $\dfrac{2}{3}=\dfrac{1600}{\square}\Rightarrow\square=3\times800=2400(원)$

⑫ $0.6=\dfrac{6}{10}=\dfrac{3}{5}$이므로

$\qquad\dfrac{3}{5}=\dfrac{2700}{\square}\Rightarrow\square=5\times900=4500(원)$

⑲ (비율)$=\dfrac{(간\ 거리)}{(걸린\ 시간)}=\dfrac{312}{4}=78$

㉑ (득표율)$=\dfrac{(득표\ 수)}{(전체\ 투표\ 수)}=\dfrac{168}{800}\times100=21\ (\%)$

특강 문장제 문제 도전하기 166~169쪽

1 3, 8 ; 3, 8	**2** 4, 5 ; 4, 5
3 9, 7 ; 9, 7	**4** 7, 12
5 13, 20	**6** 15, 8
7 0.3 ; $\dfrac{3}{10}$, 0.3	**8** 0.44 ; $\dfrac{11}{25}$, 0.44
9 0.18 ; $\dfrac{9}{50}$, 0.18	**10** 14, 0.7
11 17, 0.68	**12** 18, 0.75

4 토끼 수와 거북 수의 비

$\qquad\Rightarrow$ (토끼 수) : (거북 수)$=7:12$

5 닭 수의 병아리 수에 대한 비

$\qquad\Rightarrow$ (닭 수) : (병아리 수)$=13:20$

6 코끼리 수에 대한 하마 수의 비

$\qquad\Rightarrow$ (하마 수) : (코끼리 수)$=15:8$

8 (비율)$=\dfrac{(빨간색\ 물감\ 양)}{(노란색\ 물감\ 양)}=\dfrac{11}{25}=0.44$

특강 창의·융합·코딩·도전하기 170~171쪽

창의 **1** 공, 루, 비
융합 **2** 0.8, 0.85
창의 **3** 1440

융합**2** 승진: $\dfrac{36}{45}=\dfrac{4}{5}=\dfrac{8}{10}=0.8$,

$\qquad$ 대성: $\dfrac{34}{40}=\dfrac{17}{20}=\dfrac{85}{100}=0.85$

창의**3** $30\ \% \Rightarrow 0.3$이므로

$\qquad$ (할인 금액)$=4800\times0.3=1440(원)$

✱ 개념 ○✕ 퀴즈 정답

빈틈없는
수준별 학습으로
빠져나갈 구멍 없이
완전봉쇄!

사고력

서술형

독해력

이제 긴 문제도
어렵지 않아요!

기본기와 서술형을 한 번에, 확실하게
수학 자신감은 덤으로!

수학리더 시리즈 (초1~6 / 학기용)

[연산]
(*예비초~초6/총14단계)

[개념]

[기본]

[유형]

[기본＋응용]

[응용·심화]

[최상위]
(*초3~6)

정답은
이안에
있어 !

시험 대비교재

● 올백 전과목 단원평가   1~6학년/학기별
                                          (1학기는 2~6학년)

● HME 수학 학력평가   1~6학년/상·하반기용

● HME 국어 학력평가   1~6학년

논술·한자교재

● YES 논술   1~6학년/총 24권

● 천재 NEW 한자능력검정시험 자격증 한번에 따기   8~5급(총 7권)/4급~3급(총 2권)

영어교재

● READ ME
– Yellow 1~3   2~4학년(총 3권)
– Red 1~3   4~6학년(총 3권)

● Listening Pop   Level 1~3

● Grammar, ZAP!
– 입문   1, 2단계
– 기본   1~4단계
– 심화   1~4단계

● Grammar Tab   총 2권

● Let's Go to the English World!
– Conversation   1~5단계, 단계별 3권
– Phonics   총 4권

예비중 대비교재

● 천재 신입생 시리즈   수학/영어

● 천재 반편성 배치고사 기출 & 모의고사